**Motivez-vous,
vos partenaires,
votre entreprise**

*William C. Byham, Ph. D.
et Jeff Cox*

D.D.I. France
Le Capitole
Parc des Fontaines
55 av. des Champs Pierreux
92000 NANTERRE
Tél. : (1) 41 37 93 93
Fax : (1) 41 37 25 55

D.D.I. Montréal

*Development Dimensions International
CIBC Tower
1155 René Lévesque Blvd West
Suite 3205
Montreal, Quebec
H3B 2J6*

Déjà paru en France, chez le même éditeur
par William C. Byham et Jeff Cox :
Zapp ! Comment survolter l'Entreprise en déléguant les Pouvoirs

Maquette de couverture de : Vincent Angouillant
Dessin de couverture : Pessin
Traduction : Les Presses du Management, 1994

© FRANCE

Titre original : **Heroz Empower Yourself, Your Coworkers,
Your Company**
William C. Byham, Ph. D.
and Jeff Cox
© By William C. Byham, Ph. D. and Jeff Cox
ISBN : 0-517-59860-4   Relié   Harmony Books

Comment faire naître en soi et dans son entreprise
une énergie nouvelle et l'implication totale

William C. Byham, Ph. D.,
et Jeff Cox

Traduit et adapté de l'américain par
Pascale Aubron

LES PRESSES DU MANAGEMENT
103, boulevard Murat
75016 PARIS

A PROPOS DE HERO Z

Hero Z est un livre qui traite de la nécessité de changer profondément le travail aujourd'hui. Il ne s'adresse pourtant ni aux politiciens, ni aux économistes, ni même aux chefs d'entreprises. Non, Hero Z est un livre (trop rare) qui s'adresse directement à tous ceux qui travaillent.

Qui a déjà tiré fierté à améliorer ses performances et à mieux contribuer à celles de son entreprise trouvera ici un guide clair et pratique pour aller plus loin et conquérir responsabilité et autonomie, ainsi que pour vaincre les préjugés et les freins nés de nos habitudes.

Enfin un livre à partager avec ses collègues, ses collaborateurs et ses "patrons".

MICHEL FABRE, *Directeur du Développement des Organisations*
SGS THOMSON MICROELECTRONICS

"Tous dans l'organisation devraient lire ce livre ! Il est présenté d'une façon humoristique mais très spécifique, ce qui permet de confirmer l'importance du travail en équipe."

CAROLLE BERLINGUETTE, *Administratrice CANLYTE INC.*

Enfin une fable moderne à faire lire à tous nos managers, chaque soir avant de s'endormir, pour transformer leurs cauchemars en rêves !

ALAIN LÉVY, *Directeur Ressources Humaines FNAC France*

"Hero Z est sensationnel et absolument concluant ! Le message est amusant et très facile à comprendre. J'aime particulièrement le fait que les personnages soient des gens ordinaires qui déploient des efforts et de l'énergie pour créer un environnement productif !"

LUC BAILLARGEON, *Gérant, relations avec les employés LACTANCIA LIMITEE*
Division des Aliments Ault Ltée

"Si tous les managers insufflaient le même humour et la bonne motivation à leurs équipes, le travail ne serait que plaisir : enfin un livre pour tous !"

MICHEL ELLERT, *Directeur Marketing et Ventes LEICA CAMERA France*

"Tout le monde est déjà un héros potentiel, ça ne prend qu'une étincelle pour qu'il s'anime. C'est ce que le livre Hero Z produit comme effet. Un grand merci à DDI."

RÉGENT COLLIN, *Chef du service de formation SIDBEC-DOSCO*

Préface

Il était une fois des doux rêveurs qui pensaient que la machine remplacerait l'homme au travail... On nous promettait l'ère des loisirs et des vacances perpétuelles.

Mais ce n'était qu'un rêve ! Le travail est en fait un besoin pour l'être humain, bien que certains d'entre nous ne l'admettent pas toujours facilement.

La vérité est que le travail ne se réduit pas au seul salaire, mais qu'il nous apporte valorisation et identité...

A l'heure actuelle, la question n'est pas de se demander comment utiliser un temps de loisirs "utopique", mais comment créer de nouveaux emplois et rendre plus productifs et valorisants nos emplois actuels.

Ceci n'est pas seulement l'affaire des politiciens ou des économistes, nous avons tous un rôle actif à jouer.

Hero Z est une histoire qui nous aide à comprendre comment s'approprier ce rôle.

C'est l'histoire quotidienne de personnes qui contrôlent leur travail, prennent des décisions significatives, mesurent leur progrès et sont considérées comme des valeurs importantes pour l'entreprise et ses clients.

Pour ce faire, ils auront à apprendre :
comment se fixer des objectifs, comment interagir avec leurs collègues et leurs managers, comment travailler en équipe et comment résoudre des problèmes.
Et bien d'autres choses encore…

Ils auront aussi besoin d'une énergie créatrice pour se dynamiser. C'est ce que nous appelons l'empowerment… le Zapp !

Zapp ! ou "Comment survolter l'Entreprise en déléguant les pouvoirs" du même auteur, publié en 1990, explique comment les managers peuvent insufler cette énergie à leurs collaborateurs.

Hero Z raconte comment chaque membre de l'entreprise peut se dynamiser lui-même et propager cette énergie à ses collègues et à ses managers.

Rédigés sous forme de fable, Zapp et Hero Z sont des livres pratiques ; dans Hero Z, vous trouverez l'explication de ce qu'est l'empowerment ainsi que les démarches à accomplir pour une mise en pratique efficace.

En fait, l'empowerment est le meilleur moyen d'obtenir l'implication totale de chacun et c'est cette dernière qui détermine le succès de l'entreprise et de ses membres.

Bonne lecture à tous les Hero Z de l'entreprise !

L'équipe D.D.I. France
Johanne A. Aubé
Directeur général

Remerciements

Beaucoup de personnes appartenant à la société Development Dimensions International ont largement participé à la création de ce livre en critiquant divers avant-projets, en proposant des idées, et en nous procurant des exemples de la vie de tous les jours, tirés de leurs expériences personnelles. D'autres personnes ont travaillé de façon assidue à la production du livre. Nous aimerions tout particulièrement témoigner notre reconnaissance à Tammy Bercosky, Barbara Brumm, Chuck Faber, Jill Faircloth, Sandy Hilker, Diana Jannot, Lee Kricher, Anne Maers, Karen Munch, Carol Schuets et Kathy Harper Shomo. Les autres associés de DDI qui nous ont assisté sur ce livre sont Richard Bankert, Kave Biber, Andrea Eger, Linda Francis, Shawn Garry, Shelby Gracey, Sandy Hilker, Helene Lautman, Billie Nestor, Bill Proudfoot et Jamie Rondeau. Merci tout particulièrement à Pam Miller et Karen Munch pour la création du logo de Hero Z. Nous voulons enfin remercier l'équipe de DDI France et l'équipe de DDI Canada pour leur contribution au succès de Hero Z.

Introduction

Jadis, quand le monde vivait davantage qu'aujourd'hui dans la peur de la technologie, certains prédirent que des machines d'un certain type feraient un jour tout le travail, sans qu'il soit nécessaire de les surveiller, et que les êtres humains pourraient profiter d'un Age des Loisirs. La vie ne serait qu'un très long week-end.

Bien sûr, ceci ne s'est pas produit et ne se produira pas avant longtemps. Mais c'est probablement aussi bien. Pour une raison simple, c'est que les prédicateurs de l'Age des Loisirs n'avaient pas précisé comment chacun d'entre nous paierait ces "vacances à vie", sans travailler. Mais surtout et plus sérieusement, parce que nous sommes des êtres humains, et que nous avons besoin de travailler, à un degré plus important que ce que la plupart d'entre nous veulent bien avouer.

La vérité, c'est que le travail nous procure non seulement un salaire, mais nous aide pour une grande part à définir ce que nous sommes, en tant qu'individus. Rencontrez un inconnu, et la deuxième ou la troisième information que cette personne voudra connaître sur vous (après votre nom et où vous vivez), c'est le travail que vous exercez. A partir du moment où nous sommes des adultes et que nous appartenons à une société, notre travail exerce une grande influence sur l'estime que nous nous portons à nous-mêmes et sur notre définition de la valeur d'une personne, comme le savent si bien ceux qui n'ont pas de travail.

L'enjeu essentiel aujourd'hui n'est pas de trouver comment occuper notre temps de loisir, mais de savoir comment créer de nouveaux emplois, comment rendre les emplois dont nous disposons plus productifs, et comment faire repartir la croissance économique mondiale. Ce n'est pas simplement un sujet pour les politiciens et les économistes ; c'est un problème par rapport auquel nous avons tous un rôle à jouer. Et ce n'est pas seulement une question d'emplois et de salaires ; à terme, nous voulons que ces emplois transforment notre pays et notre monde en un espace de vie moins troublé, plus confortable, plus sain, plus agréable. C'est la signification profonde du bon travail.

Hero Z raconte comment faire pour que cela se produise. C'est l'histoire de gens ordinaires qui se mettent à prendre des initiatives dans leur travail et qui s'acharnent à améliorer leur façon de travailler, de façon qu'à la fin tout le monde gagne. Ils sont obligés de passer par une longue période d'apprentissage, pour savoir comment mesurer leur travail, comment se fixer des objectifs, comment agir de concert avec leurs collègues et leur patron, comment travailler en équipes, comment résoudre les problèmes et encore beaucoup d'autres choses. L'énergie qui leur permet d'aller toujours de l'avant naît du sentiment de mieux comprendre et de mieux contrôler ce qui se passe, ce que nous appelons le *Zapp !*

Il y a quelques années, nous avons écrit un livre qui s'intitulait *Zapp ! Comment survolter l'entreprise en déléguant les pouvoirs.* C'était une histoire qui racontait comment des dirigeants peuvent donner à leurs employés cette énergie née de la compréhension et du contrôle des choses. *Hero Z* raconte comment les employés peuvent acquérir *eux-mêmes* cette énergie et comment ils peuvent la communiquer à leurs collègues et même à leur patron.

Bien qu'ils soient écrits sous forme d'histoires, *Zapp !* et *Hero Z* sont des livres pratiques. Ils sont écrits comme des fables, parce que cette forme permet d'oublier les différences qui existent entre les différentes entreprises ou industries, pour se concentrer sur l'essentiel. Nous avons également pensé qu'un livre écrit comme une fable serait beaucoup plus drôle à lire qu'un manuel traditionnel. Il reste qu'à travers ces histoires, nous vous donnons non seulement une explication du principe d'acquisition de la fameuse énergie, mais la méthode, étape par étape, pour que cette énergie produise son effet.

Certaines personnes prétendront peut-être qu'elles n'ont pas besoin de cette énergie. Qu'est-ce que ça change ? Eh bien, cela change beaucoup de choses. Premièrement, la réussite des entreprises dans notre société détermine notre réussite en tant qu'individus. Si elles échouent, nous échouons. D'autre part, si nos entreprises réussissent et qu'elles procurent une bonne qualité à leurs clients, alors nous avons accès à cette réussite en tant qu'individus, sous des formes concrètes et moins concrètes : l'argent, la qualité des biens et des services que nous pouvons acheter avec cet argent, la satisfaction personnelle, un sens à notre vie.

L'énergie née de la responsabilisation est essentielle pour qu'une entreprise réussisse sur une base continue et à long-terme. Dans une économie globale, aux mouvements rapides et changeants, plus complexe que par le passé, avec des demandes et des attentes accrues de la part des clients, les vieilles structures organisationnelles ne sont plus adaptées. Elles ne permettent pas de réagir rapidement. De nos jours, une entreprise qui souhaite rester compétitive ne peut se contenter de quelques cerveaux au sommet de l'organisation, travaillant seuls à l'amélioration de la performance. Elle a besoin d'impliquer ceux qui travaillent plus près du client et ceux qui produisent directement la qualité pour laquelle le client paie. La responsabilisation est le meilleur moyen d'obtenir cette implication.

La responsabilisation est donc positive pour l'entreprise, mais que vous apporte-t-elle à vous, les individus ? En attendant que cet Age des Loisirs tant attendu arrive, ou en attendant de gagner au Loto, vous avez probablement besoin de travailler pour gagner votre vie, comme tout le monde. Est-ce que la responsabilisation mettra plus d'argent dans votre poche ? C'est possible, au moins à long-terme, parce que les gains de productivité permettent de faire des gains de salaire. Mais il est certain que si vous et vos collègues permettez à votre entreprise de s'adapter avec succès à l'évolution des besoins et de la demande des clients, cela servira aussi votre intérêt du point de vue financier. La quête de l'amélioration constante augmente les chances de garder son salaire.

Mais la question du travail réside-t-elle entièrement dans la feuille de paie ?

N'y a-t-il pas plus important que l'argent dans la vie ? Nous passons une grande partie de notre vie à travailler. Pourquoi n'y gagnerions-nous pas plus que de simples billets ou des avantages matériels ? Pourquoi le travail ne serait-il pas également un plaisir ? Pourquoi ne devrions-nous pas aussi trouver un sens et un accomplissement dans notre travail ? Pourquoi n'avons-nous pas envie de venir au travail avec autant d'impatience que nous attendons les week-ends, les jours de congé, et les vacances ?

Eh bien, il existe des gens qui ne souhaitent pas que la vie devienne un long week-end. Certaines personnes attendent en fait avec impatience le lundi matin. Qui sont ces personnes ? Généralement, ce sont celles qui ont des responsabilités. Ce sont celles qui ont le contrôle de leur travail, peuvent prendre des décisions significatives, peuvent mesurer leurs progrès, et sont considérées comme précieuses par leur entreprise et leurs clients. Si vous n'êtes pas encore dans leurs rangs, vous pouvez le devenir. La responsabilisation est un moyen pour vous d'obtenir beaucoup plus, en échange des heures que vous passez au travail, et qui constituent une partie très importante de votre vie.

Gardez à l'esprit, bien sûr, qu'un livre de cette longueur ne prétend pas être une encyclopédie sur le sujet. Gardez également à l'esprit que cela prendra du temps, de la patience et de l'expérience pour obtenir cette énergie née de la responsabilisation dans votre entreprise, et qu'un livre ne remplace pas une formation. Mais les principes fondamentaux sont inscrits dans ces pages. Lorsque l'on observe les exemples des milliers d'individus qui ont appris ce qu'était le Zapp ! et l'énergie de la responsabilisation à travers des programmes de formation et qui ensuite ont utilisé ces principes dans leur travail, il est évident que les idées développées dans ce livre ont un effet réel. Si vous les appliquez, vous créerez une énergie ; vous en ferez profiter les clients que vous servez, les gens avec lesquels vous travaillez, et vous y gagnerez beaucoup vous-mêmes.

William C. Byham, Ph. D. et Jeff Cox
Pittsburgh, Pennsylvanie, Etats-Unis, 1994

1

Il était une fois, dans un pays magique qui n'est pas bien loin de vous, un château.

C'était le célèbre Château de Malronne : un grand château avec beaucoup de tours et de remparts, qui jouait un rôle très important dans la vie des habitants des alentours.

Certains jours, il arrivait en effet que des dragons surgissent du ciel et s'abattent sur les gens, ne trouvant rien de mieux à faire que de semer la pagaille et de faire des dégâts.

C'est pourquoi chaque famille, dans la ville de Malronne, avait toujours un clairon en cuivre à portée de main. Si jamais un dragon surgissait du ciel, la personne menacée devait sonner du clairon, et ensuite se cacher pour se protéger.

Les guetteurs en observation sur les remparts du château, s'ils n'avaient pas encore repéré le dragon, entendaient alors le son du clairon, et le château envoyait immédiatement un chevalier qui partait au galop effectuer le sauvetage.

En échange de ce service, le château faisait payer une petite taxe. Mais les habitants de Malronne payaient toujours volontiers : pas moyen de combattre un dragon si vous n'étiez pas un professionnel entraîné.

Voyez-vous, c'était un univers magique et ces dragons étaient immortels. Il était vraiment impossible de les tuer.

Seuls les chevaliers pouvaient faire face aux dragons. Oh bien sûr, de temps en temps il arrivait qu'un téméraire attrape une épée et se précipite au-devant du dragon, coupant et tailladant – pour se retrouver tout simplement rôti et mangé. Les humains, contrairement aux dragons, étaient très mortels.

Mais les chevaliers pouvaient faire face aux dragons parce que jadis, le sage Roi de Malronne avait ordonné à ses magiciens de développer une arme de haute-technologie : la Flèche Magique.

Lorsqu'il arrivait sur les lieux, le chevalier chargeait – essayant d'esquiver les jets de feu soufflés par le dragon, les coups de griffes, les coups de queue et les coups de dents – jusqu'à ce qu'il soit assez près pour lancer une Flèche Magique en plein cœur du monstre.

Une fois frappé au cœur par une Flèche Magique, le dragon envahisseur commençait immédiatement à rétrécir, il devenait de plus en plus petit, jusqu'à ce que, dans un éclair éblouissant de lumière, il disparaisse complètement, et s'en retourne dans la dimension parallèle d'où il était venu.

Là-dessus le chevalier présentait une note à celui qui avait effectué l'appel, et demandait : "Vous réglez en espèce, en chèque, ou à crédit ?"

Pendant longtemps, cet arrangement plut à tout le monde.

Soulagés des dégâts causés par les dragons, les habitants de Malronne pouvaient vivre paisiblement, le pays prospérait.

En plus, le château employait beaucoup d'habitants des environs, qui gagnaient beaucoup d'argent et le dépensaient librement. C'était le bon temps.

Mais les temps changent.

Parmi les nombreux habitants des environs qui travaillaient au Château, il y avait Arthur Rénovetoi.

Arthur n'était pas un chevalier. En fait, en toutes ces années où il avait travaillé au château, il n'avait jamais vu un dragon de près. Arthur était un fabricant-de-flèches dans la Tour numéro Deux. Il faisait partie des dizaines et des dizaines de personnes qui trimaient dans les tours pour fabriquer des Flèches Magiques, des armures et tout l'attirail dont les chevaliers avaient besoin pour tenir les dragons en échec.

Un jour, comme tous les jours, Arthur déjeunait dans la cour du château avec ses deux amis Jacques et Isabelle.

Tous les trois fabriquaient des flèches dans la Tour numéro Deux, mais ils exerçaient des métiers différents.

Arthur fabriquait des tiges. Il taillait les tiges des flèches à partir de bouts de bois rapportés des forêts des alentours.

Jacques s'occupait des pointes. Il sculptait les pointes des flèches dans un métal spécial, qu'il fallait façonner à coups de marteau aux dimensions spécifiées par les magiciens du château.

Enfin Isabelle maniait la baguette magique. Bien qu'elle ne fût pas magicienne elle-même, elle avait une licence en Sciences de la Magie et un diplôme pratique de baguette magique. Elle et les autres praticiens de la baguette travaillaient au dernier étage de la tour, et terminaient les flèches qui arrivaient des étages du dessous, en leur ajoutant une touche de magie.

Tous les trois étaient des amis de longue date, et ils déjeunaient chaque semaine ensemble, quatre jours sur cinq.

Ce midi-là, donc, Arthur était là assis avec eux, et mangeait son sandwich au thon, le regard fixé sur le rempart du château, écoutant d'une oreille distraite comment Isabelle et son mari avaient retapissé leur chambre le week-end dernier, et se demandant en même temps pourquoi il n'aimait pas son travail.

Arthur n'avait pas toujours eu ce désintérêt pour son travail. Au début, il adorait ce qu'il faisait, au moins dans les bons jours. Mais ces dernières années, son opinion avait changé. En fait, il allait souvent jusqu'à détester son travail.

Il n'avait aucune raison pour cela. La fabrication de flèches était un travail honnête et il était plutôt bon dans son métier. Cela payait bien, c'était essentiellement pour cela qu'il restait. En dehors du château, les postes bien payés pour les fabricants-de-tiges étaient rares dans ce pays magique.

Et pourtant, ce travail, il le détestait souvent, et il ne comprenait pas vraiment pourquoi. Dans quelques minutes, tous les trois allaient reprendre sans entrain la même activité : fabriquer des flèches. Tous les jours ils faisaient la même chose, et à force, le travail était devenu si monotone que personne ne s'y intéressait plus. Peut-être que c'était simplement ça ; peut-être que c'était pour ça qu'Arthur n'aimait pas son travail.

Bien sûr, il se rendait compte qu'il ne servait à rien de penser trop longtemps à tout ça, parce qu'il n'y avait pas de solution. Il avait besoin d'or pour payer ses factures, et pour gagner de l'or il devait travailler. Arthur se força donc à écouter Isabelle et la description de son ravissant papier-peint à fleurs.

"Alors qu'est-ce que vous faites ce week-end ?" demanda Jacques à Isabelle. "Vous tapissez les murs du sous-sol ?"

"Non, nous aidons Papa et Maman à déménager", dit-elle.

"Pourquoi est-ce qu'ils déménagent ?" demanda Arthur. "Ils n'aiment pas leur papier-peint ?"

"Non, en fait, ils n'ont pas de papier-peint du tout. Je ne vous l'ai pas dit ? Un dragon a entièrement brûlé leur maison."

"Oh. Mince alors, je suis désolé. Ce n'est vraiment pas de chance", dit Arthur. "Qu'est-ce qui s'est passé ? Ils n'ont pas sonné le clairon pour avertir le château ?"

"Bien sûr que si", dit Isabelle. "Mais il y a eu quelques problèmes."

"Quels genres de problèmes ?"

"Eh bien, le chevalier est arrivé à la rescousse un peu tard", dit Isabelle, "et quand il s'est trouvé sur les lieux, il semble qu'un certain nombre de nos Flèches Magiques n'aient pas fonctionné. Le chevalier n'arrêtait pas de charger et de tirer, en visant le cœur, mais le dragon ne partait pas. Alors le chevalier est tombé assez vite à court de munitions, et il dût retourner au château pour en chercher d'autres. A son retour, le dragon avait mis le feu à la maison, et Papa et Maman étaient sur le point de passer à la casserole pour le dîner. Heureusement, la flèche suivante a atteint le cœur du dragon."

"Oh la la", dit Arthur, "ton père et ta mère devaient être dingues".

"Oui. Mais le pire, c'est qu'on leur a présenté une facture si élevée qu'ils auraient presque préféré être dévorés par le dragon."

"Alors ils déménagent ? Où vont-ils aller ?" demanda Jacques.

"Ils ne savent pas encore, mais ils quittent définitivement Malronne", dit Isabelle.

"Mais ils sont sûrs d'être brûlés s'ils ne restent pas à Malronne", dit Jacques. "Nous sommes le meilleur château des environs ! Nous sommes les seuls à fabriquer des Flèches Magiques !"

"Ce n'est pas ce que dit Papa. Il dit qu'il a lu dans le *Dragon Digest* que le Château de Malronne est encore la référence, mais qu'il y a beaucoup de nouveaux châteaux qui s'établissent juste derrière l'horizon, offrant la garantie d'un service rapide et de prix très, très bas."

"C'est vrai", dit Arthur. "Vous n'avez pas entendu parler du Château Colossal ? Leurs chevaliers utilisent la nouvelle Flèche Intelligente qui ne rate jamais son coup."

"Mais alors, qu'est-ce qui ne va pas chez nous ?" demanda Jacques. "Comment se fait-il que nos chevaliers n'arrivent pas sur les lieux assez rapidement ? Pourquoi nos flèches ne sont-elles pas plus performantes ? Pourquoi nos prix sont si élevés ? Pourquoi est-ce que quelqu'un ne *fait* pas quelque chose ?

Aussi étrange que cela puisse paraître, pratiquement au même moment, Le Roi du Château de Malronne était en train de poser à peu près exactement le même type de questions.

2

En effet, ce matin-là le roi avait décidé de récompenser un chevalier qui avait particulièrement bien travaillé.

Il monta donc à la Salle du Trésor, au dernier étage de l'aile du château qui lui était réservée, pour prendre un sac d'or.

Mais quand il ouvrit le coffre du trésor, il fut frappé de voir qu'il était presque vide.

Le Roi réunit tous ses ducs et leur dit : "Hé, qu'est-ce qui se passe ici ? Où est passé tout l'or qu'il y avait dans le coffre ?"

Les ducs haussèrent tous silencieusement les épaules, sauf le Duc de la Comptabilité, qui dit : "Votre Majesté, j'ai peur que ces derniers temps nous n'ayons dépensé plus d'or que nous n'en avons gagné."

"Et comment cela se fait-il ?" demanda le Roi.

"Eh bien, les Flèches Magiques coûtent cher à produire, Sire, et les chevaliers, ainsi que le château, sont chers à entretenir..."

"Je sais tout ça !" dit le Roi. "Pourquoi ne gagnons-nous pas assez d'or pour couvrir les coûts ? Ne me dites pas qu'il n'y a pas assez de dragons à combattre !"

"Oh, vous parlez, Votre Majesté, il y a plus qu'assez de dragons à combattre", dit le Duc des Opérations. "En fait, nos statistiques montrent que le taux d'apparition des dragons a augmenté de façon plutôt dramatique."

"Alors pourquoi ne nous enrichissons-nous pas ?" demanda le Roi. "Nos prix ne sont-ils pas assez élevés ?"

Le Duc du Marketing s'éclaircit la gorge. "Hum. Je crois que cela fait partie du problème, Sire. Nos prix sont peut-être trop élevés. Je suis sûr que c'est seulement temporaire, mais il semble que nous ayons perdu beaucoup d'habitants récemment."

Le Roi était stupéfié. "Perdu des habitants ?! Est-ce que les dragons ont mangé des gens de notre peuple ? Vous savez que je ne le tolérerai pas !"

"En fait, quelques-uns seulement ont été mangés..."

"Quelques uns ! Qu'est-ce que vous diriez si vous étiez parmi ces quelques uns ?"

"Mais, Votre Majesté", dit le Duc des Opérations, "nous faisons de notre mieux ! C'est juste que nous sommes débordés !"

"Dans ce cas, formez plus de chevaliers !" dit le Roi. "Fabriquez plus de Flèches Magiques !"

"Votre Majesté, s'il vous plaît !" dit le Duc de la Comptabilité. "Souvenez-vous que le coffre du trésor est presque vide !"

"Très bien", dit le Roi, "Je vous donne la permission d'augmenter encore les prix".

"Comme j'essayais de l'expliquer, Votre Majesté, nos prix sont déjà une partie du problème", dit le Duc du Marketing. "Si nous perdons des habitants, ce n'est pas uniquement parce que quelques uns se font manger, mais parce que beaucoup d'autres quittent Malronne".

"Quoi !? Vous voulez dire que nos fidèles Malronniens s'en vont ?"

"C'est la triste vérité, Sire. Ils ne sont plus fidèles du tout. Ils fichent le camp. Ils battent les sentiers"

"Mais pourquoi ?"

Le Duc des Etudes de Marché s'avança. "Nos enquêtes révèlent qu'ils cherchent à acheter ailleurs, Sire. Ils veulent un service plus rapide et des prix plus bas – et ils sont capables de changer de royaume pour obtenir cela."

"Mais ne savent-ils pas que nous sommes le meilleur château qui existe dans tout le monde magique ?" demanda le Roi.

"Votre Majesté", dit le Duc du Marketing, "quand notre brevet d'invention sur la Flèche Magique est tombé dans le domaine public, beaucoup de jeunes et courageux aventuriers se sont lancés dans l'industrie du combat de dragon ; ils ont établi des territoires et ont construit de nouveaux châteaux."

"Mais il n'y a pas longtemps, vous m'avez assuré que ces nouveaux châteaux n'étaient d'aucun risque pour nous !" dit le Roi. "Vous m'avez assuré que nous étions encore le meilleur château du pays !"

"Eh bien, j'ai peur de n'avoir pas prévu que les autres châteaux feraient des progrès si rapides", dit le Duc. "Nous sommes encore bons, mais ils n'arrêtent pas de s'améliorer !"

Le Roi envoya à ses Duc un regard noir et fit quelques pas devant eux, en silence. Finalement il les congédia, appela son équipage, et fit une longue chevauchée à travers la campagne. Plusieurs fois, il s'arrêta pour parler aux Malronniens. Et ils ne se gênèrent pas pour lui dire son fait !

Quand le Roi rentra, il dit au Patron des pages : "Appe-

lez les trompettes ! Et réunissez dans la cour tous ceux qui travaillent au château !"

Il faut dire qu'à cette époque, travailler au Château de
Malronne présentait des aspects assez étranges – étranges
mais si habituels que ni Arthur ni aucun autre employé ne s'en
étonnait.

Par exemple, il n'y avait aucune couleur naturelle à l'intérieur des remparts. Toutes les choses et toutes les personnes
dans le château apparaissaient dans une nuance de gris. Pas de
rouge, pas de vert, pas de marron, pas de bleu. Tout était très
gris dans le château.

Sauf les lundi matins. Les employés du château, en arri-
vant, avaient leur apparence habituelle. Pendant quelques
heures, ils gardaient leurs couleurs naturelles. Puis ils viraient
au gris comme tout le reste. Peu importe si vous portiez des
chaussures violettes et une chemise jaune, à midi tout était
gris.

En plus de la grisaille, il y avait le brouillard. Dans
chaque tour, chaque couloir, chaque salle du château flottait
un brouillard sombre et épais. Personne ne savait d'où il venait, mais le brouillard apparaissait dès que la première lumière était allumée et ne disparaissait qu'après que tout le monde
soit parti. Et quand les choses n'allaient pas bien, le brouillard
semblait devenir d'autant plus dense.

Le brouillard était si épais qu'il était impossible, à l'intérieur des remparts, de faire quoi que ce soit rapidement. On ne
pouvait même pas penser rapidement. Quand quelqu'un essayait de terminer vite un travail, c'était comme essayer de
courir dans de la mélasse. Le pauvre employé finissait tout

simplement par abandonner, et continuait à travailler à la vitesse autorisée par le brouillard.

Ces faits étranges existaient depuis si longtemps que personne n'y faisait plus tellement attention. Désormais ils n'étaient plus étranges et paraissaient normaux.

Cela ne veut pas dire que les gens du château aimaient travailler dans ces conditions. Tout le monde tenait pour établi qu'il n'y avait rien à faire pour que cela change.

Malgré l'habituel brouillard, tout le monde se rassembla dans la cour du château, où le Roi fit un discours vibrant.

"Le Château de Malronne est performant !" criait le Roi. "Mais nous devons nous améliorer !"

C'était le refrain du Roi : nous sommes bons, mais nous devons être encore meilleurs.

Et comme il était grand meneur d'hommes, le Roi réussit à enthousiasmer tout le monde.

Tout allait être autrement !

Les choses allaient changer !

Finalement, ils chantèrent tous une chanson et s'applaudirent les uns les autres, pleins d'un enthousiasme débordant, puis retournèrent au travail. Il y avait quelque chose dans l'air. Ils pouvaient presque l'entendre. C'était une espèce de bourdonnement.

Même à travers le brouillard, ils pouvaient presque voir cette énergie. Cela ressemblait à des éclairs ; et ces éclairs semblaient envahir chaque personne et redonner à chacun plein de vie et d'énergie. Tout le monde était chargé à bloc.

Ce qui était plus surprenant encore, c'est que ces éclairs étaient colorés – ou plutôt ils avaient des teintes de plusieurs couleurs. Et la lumière de ces éclairs perçait à travers le brouillard, si bien que tout le monde devenait plus brillant et pouvait voir plus clair. Grâce aux éclairs, les visages, les mains, et les habits des ouvriers du château étaient moins gris et avaient des couleurs plus naturelles.

Pendant le reste de la journée, tout le monde au château travailla avec un esprit neuf et de nouvelles intentions. Le soir, ils rentrèrent chez eux, et quand ils revinrent le lendemain matin, beaucoup sentaient encore ce bourdonnement et ces éclairs scintillants à l'intérieur d'eux. Mais beaucoup les avaient perdus pendant la nuit.

A la fin de la deuxième journée, même ceux qui portaient encore les éclairs en eux étaient moins chargés. Le troisième jour, il restait encore moins d'éclairs. Et ainsi de suite jusqu'à ce que les éclairs disparaissent et que tout redevienne à nouveau gris, morne, et lent.

A cette époque, ils n'avaient pas encore de batteries dans ce pays magique, mais c'est exactement ce à quoi ressemblait le château après le discours du Roi : des batteries chargées à bloc qui se seraient lentement déchargées, jusqu'à l'arrêt total.

Tous les jours, le Roi guettait les changements dans le château. Il pensait qu'après son discours vibrant, tout le monde devait maintenant être motivé et que la performance du château allait s'améliorer. Mais rien ne s'améliorait vraiment. Les dragons continuaient à descendre sur Malronne, les coûts du château continuaient à augmenter, et les habitants continuaient à partir.

Le Roi appela donc les ducs et leur dit : "Ecoutez, il faut absolument que nous fassions des progrès, ou bien nous sommes perdus ! Que faut-il que je fasse, un discours tous les jours ? Croyez-moi, je serais prêt à le faire, mais le travail ne serait jamais effectué ! Vous avez intérêt, Messieurs les ducs, à faire bouger les choses, ou bien des têtes vont tomber !"

Comme ils ne voulaient pas que les têtes tombent (surtout pas la leur), les ducs se mirent à courir à travers tous les étages du château, organisant des réunions entre eux.

"Le Roi a l'air sérieux !" s'exclama le Duc des Opérations. "Ce n'est pas seulement un de ses projets en l'air ! Il faut vraiment que nous fassions des progrès ! Mais comment ? Qu'allons-nous faire ?"

"Je sais !" dit le Duc du Marketing, en claquant dans ses doigts. "Rapidement, nous avons besoin d'un plan d'amélioration !"

"Non, mieux encore, nous avons besoin d'un plan d'amélioration rapide !" dit le Duc de la Comptabilité.

"C'est une idée géniale !" dit le Duc des Opérations. "Je vais envoyer une note au Roi pour qu'il sache que nous agissons, et nous nous reverrons tous ensemble dans quelques semaines pour penser à un nom qui sonne bien !"

Puis, pleins de bonnes intentions, ils se précipitèrent à d'autres réunions et poursuivirent leur travail de duc.

Pendant ce temps, il y avait beaucoup de gens aux côtés du Roi qui sentaient combien il était important que le château accomplisse mieux sa tâche... et très vite. Ils n'avaient qu'à regarder par la fenêtre pour voir les dragons dans le ciel.

3

Un jour au déjeuner, Jacques dit à Arthur et Isabelle :
"Vous savez, je crois que nous devons prendre tout ça au sérieux."

"Prendre quoi au sérieux ?" demanda Arthur.

"Cette histoire de faire mieux", dit Jacques. "Chaque
fois que je regarde par la fenêtre de la Tour, je vois de plus en
plus de dragons qui envahissent notre territoire, et de plus en
plus de gens comme nous qui prennent la route."

"Ouais, bon, et à qui la faute ?" demanda Arthur. Et il
commença à accuser tout le monde : les chevaliers, le Roi, les
ducs, le Patron de la Tour numéro Deux, les habitants, les
autres châteaux, ses enfants...

"Pourquoi accuses-tu tes enfants ?" demanda Isabelle.

"Si je n'avais pas d'enfants", dit Arthur, "je pourrais démissionner, partir de ce château gris et terne et descendre vers
le lac élever des canards."

"Tu sais ce que c'est, ton problème ? Tu en as ras-le-bol,
c'est tout", dit Isabelle. "Et tu en aurais tout aussi ras-le-bol

d'élever des canards après quelques années."

Arthur ne dit rien, ce qui signifiait qu'elle avait probablement raison.

"Ecoute, c'est facile d'accuser les autres. Mais ce n'est pas ce qui fera partir les dragons", dit Jacques. "Et même si tu n'aimes pas ton travail, tu aimes l'endroit où tu habites, non ? Je veux dire... c'est ta maison. Moi, en tout cas, je voudrais continuer à vivre ici. Mais sans le château, nous devrons prendre la route, comme tout le monde. Arthur ne pourra même pas vendre ses canards à qui que ce soit."

"Moi je pense que tu as raison", dit Isabelle. "Mais que pouvons-nous y faire ?"

"Je crois que nous pouvons tous faire un petit effort", dit Jacques.

"Bon, c'est vrai, je suppose que je pourrai peut-être faire un petit effort", dit Isabelle. "Et toi, Arthur ?"

"Bon, bon, d'accord", dit Arthur. "Comptez sur moi."

Tous les trois scellèrent leur accord par une poignée de main. Et même s'ils le remarquèrent à peine, il y eut un minuscule scintillement d'éclair entre eux quand leurs mains se touchèrent. Cela fit un bruit qui ressemblait beaucoup au bourdonnement après le discours du Roi, en plus fort. Cela donnait à peu près cela....

Zapp !

***

Les jours suivants, ils essayèrent effectivement de faire un effort. Puis, vers le milieu de la semaine, Jacques leur demanda au déjeuner : "Alors, où en êtes-vous ? Vous essayez toujours de faire un effort ?"

"Bien sûr", dit Arthur.

"Tu parles", dit Isabelle.

"Moi aussi", dit Jacques.

Ils levèrent leur sandwich à l'unisson et mangèrent leur repas en silence pendant quelques secondes.

Puis Arthur dit : "Dis-moi, Jacques, j'ai une question."

"Laquelle ?"

"Je ne suis pas sûr de comprendre."

"Comprendre quoi ?"

"Je me suis vraiment remué", dit Arthur, "exactement comme nous l'avions décidé tous les trois. Mais vers quoi est-ce que nous devons diriger nos efforts ?"

"Oh", dit Jacques. "Mais c'est évident, Arthur. Nous essayons d'effectuer plus de travail."

"C'est ça", dit Isabelle. "Pour faire mieux, nous devons faire plus."

Arthur approuva. "Super. En faire plus. D'accord, maintenant je comprends."

A nouveau quelques jours passèrent et Jacques leur demanda encore :

"Comment ça se passe pour vous deux ? Vous en faites plus ?"

"Ouais", dit Arthur, "J'en fais des tonnes en plus."

"Et toi, Isabelle ?"

"Oui, je crois. En tout cas j'essaye."

"C'est bien, ne t'arrête pas", dit Jacques. "Si tu continues à faire des efforts comme Arthur et moi, à la fin tu auras effectué plus de travail."

"Ouais, comme hier", dit Arthur. "Hier j'ai fait beaucoup de travail."

"Vraiment ? C'est bien", dit Jacques.

"Ouais, hier j'ai passé des heures à nettoyer mon établi, et je l'ai astiqué et astiqué jusqu'à ce que je me voie dedans", dit Arthur. "Et ensuite j'ai aiguisé tous mes outils pour qu'ils coupent comme des rasoirs."

"C'est génial", dit Jacques.

"Ouais, là je me remuais vraiment", dit Arthur, "alors j'en ai profité pour aller aiguiser les outils de tout le monde dans l'atelier."

"C'est bien", dit Jacques, "mais combien de tiges de flèches as-tu fabriquées ?"

"Oh, je n'ai pas fabriqué de tiges du tout", dit Arthur. "J'étais trop occupé à faire tout le travail dont je viens de parler."

"Arthur ! Quand nous parlons de faire plus d'efforts et d'effectuer plus de travail, cela ne signifie pas aiguiser plus d'outils ou astiquer plus d'établis !" dit Jacques. "Cela veut dire *faire plus de flèches !*"

"Comment veux-tu que j'y arrive ? Je fabrique seulement les tiges", dit Arthur.

"Il faut que tu fabriques plus de tiges, et que je fasse plus de pointes, et Isabelle doit donner plus de coups de baguette magique. Le résultat sera alors une augmentation du nombre de flèches terminées", expliqua Jacques, patiemment.

A ce moment du récit, il se peut qu'Arthur Rénovetoi paraisse un peu stupide. En fait, Arthur était très intelligent. Mais après plusieurs années de travail dans le brouillard, à recommencer toujours la même chose tous les jours, son cerveau était devenu un peu engourdi. Il ne pensait plus aussi bien qu'avant. Une des conséquences de cet engourdissement était qu'il avait perdu la vision d'ensemble.

"Arthur, tu dois te souvenir de ce qui est important", dit Isabelle.

"Tu veux dire qu'il n'est pas important d'avoir des outils aiguisés ?" demanda Arthur.

"Il est important d'avoir des outils aiguisés", dit Jacques, "mais seulement si au final ils permettent de fabriquer plus de tiges. C'est ce qui est vraiment important, pour que l'ensemble de la tour fasse plus de Flèches Magiques. Si tu passes plus de temps à aiguiser tes outils qu'à fabriquer des tiges de flèches, alors il y a quelque chose qui ne va pas."

"D'accord, donc tu veux que je fasse plus de tiges de flèches", dit Arthur, "pour que l'ensemble de la tour puisse fabriquer plus de Flèches Magiques. C'est ça qui est vraiment important ?"

"Eh bien, oui", dit Jacques. "En tout cas je ne vois pas autre chose de plus important. Et toi, Isabelle ?"

"Non, c'est ce que la Directrice semble toujours rabâcher : il faut faire plus de Flèches Magiques. Tu dois donc faire ta part du travail, Arthur, et fabriquer plus de tiges."

"D'accord", dit Arthur, "je ferai de mon mieux. Je vais essayer de faire plus de tiges."

Encore une fois, ils se donnèrent une poignée de main pour sceller leur accord qui consistait à faire plus d'efforts.

Et encore une fois il y eut un petit éclair de lumière entre eux et un minuscule bruit – *Zapp !* – mais personne ne remarqua ni l'un ni l'autre dans le brouillard épais.

Quand Arthur retourna à sa table de travail dans l'Atelier des tiges,

il agita la tête, comme pour secouer des toiles d'araignées à l'intérieur, et se mit à rire de lui-même. Ces derniers jours, il avait fait tout ce travail supplémentaire en pensant :

"Qu'est-ce que tout cela va apporter de bon ?"

A présent son cerveau commençait à regagner de son ancienne acuité et il conclut ceci :

Si une action l'aidait vraiment à fabriquer plus de tiges de flèches avant la fin de la journée, alors c'était une action productive. Si ce n'était pas le cas, ou si cette action gênait la production, alors elle n'était pas productive. C'était simple.

Il en fit donc une note et l'accrocha au mur, ce qui était simplement sa manière de se rappeler de ce genre de choses quand il travaillait.

NOTE DE L'ATELIER DE :
Arthur RENOVETOI

Tour Deux, Château de Malronne

Pour mémoire :

- Il faut comprendre ce qui est important !
  (Et ce qui ne l'est pas).

- Le plus important (pour toute la Tour) :
  plus de Flèches Magiques !

Pour mon travail : plus de tiges de Flèches !

Quelques jours plus tard, au déjeuner, Jacques posa la même question que d'habitude, mais il essaya d'être plus précis.

"Comment ça se passe pour tous les deux ? Est-ce que vous effectuez plus de travail ? Est-ce que nous produisons plus de flèches ?"

Isabelle détourna les yeux, et Arthur mordit dans sa banane pour ne pas avoir à parler.

"Qu'est-ce qui se passe ?" demanda Jacques. Vous essayez bien de faire plus d'efforts et d'effectuer plus de travail, non ?"

Ils acquiescèrent tous les deux.

"Alors nous produisons sûrement plus de flèches, pas vrai ?"

Arthur haussa les épaules. "Je ne sais pas ; je suppose que oui."

"Qu'est-ce qui se passe ?" demanda Jacques. "Vous ne voulez pas me le dire ?"

Comment pourrais-je savoir quelle quantité de travail j'effectue en plus ?" demanda Arthur.

"Il a raison", dit Isabelle. "C'est aussi mon problème. Quelquefois j'ai l'impression d'en faire plus. Mais je n'en suis pas sûre."

Jacques baissa la tête pendant un instant. "La vérité, c'est que j'ai eu le même problème. Même quand j'ai l'impression d'avoir fait une excellente journée, je n'en suis jamais sûr."

"Je sais !", dit Isabelle, "pourquoi n'allons-nous pas parler à la Directrice pour savoir quels sont les résultats de nos efforts ?"

"Quoi ?!" dit Arthur. "Tu es folle ?"

"Qu'est-ce qu'il y a de mal à parler au Patron ?"

"Mais enfin, je ne sais pas", dit Arthur d'une façon mal assurée, "mais cela ne me paraît pas être une bonne idée. Je veux dire... et si la Directrice pense que nous essayons tout simplement de nous mettre bien avec elle ?"

"Et alors ?"

"Ou pire, si tous ceux de la Tour numéro Deux pensent que nous sommes des lèche-bottes ?" demanda Jacques.

"Oh, allons, les gars, détendez-vous !" dit Isabelle. "Nous avons seulement besoin d'obtenir des informations !"

Ils allèrent donc voir la Directrice.

"Que puis-je faire pour vous ?" demanda la Directrice de la Tour numéro Deux quand ils entrèrent dans son bureau.

"Nous essayons d'évaluer notre travail", dit Isabelle.

"Exactement, pour pouvoir faire des progrès", dit Arthur.

La Directrice les regarda comme s'ils venaient d'une autre planète. "Dites-moi tous les trois, vous voulez jouer les lèche-bottes ou quoi ?"

"Non !" dit Jacques. "Nous essayons juste d'y mettre du nôtre pour être sûrs que le château ne soit pas débordé par tous les dragons des environs."

La Directrice réfléchit. "Alors comme ça vous êtes sincères."

"Oui", dit Isabelle, "et nous voulions vous demander des chiffres..."

"Des chiffres ? Quel genre de chiffres ?" demanda la Directrice d'un air méfiant.

"Des chiffres qui nous diraient où nous en sommes dans notre travail", dit Arthur. "Vous savez, comme par exemple combien de tiges je fabrique chaque jour, combien de pointes de flèches sont produites par Jacques, et combien de Flèches Magiques sont apportées aux chevaliers..."

"Ah, ce genre de chiffres", dit la Directrice. Elle se leva de sa chaise et commença à les diriger vers la porte. "Vous savez, ce n'est pas la peine de vous tracasser avec les chiffres.

Croyez-moi, s'il y a une baisse de rythme dans votre travail, je serai la première à vous le faire savoir."

"Mais ce n'est pas le problème", répliqua Arthur. "Nous voulons établir une norme pour nous-mêmes, de façon à voir si nous progressons."

"Je suis sûre que c'est le cas", dit la Directrice, "mais malheureusement je ne peux pas vous montrer les chiffres."

"Pourquoi ?"

"C'est contre le règlement du château."

"Depuis quand ?"

"Depuis toujours."

"Mais pourquoi ?"

"Eh bien... réfléchissez", dit la Directrice. "Que se passerait-il si les autres châteaux prenaient connaissance de nos chiffres ?"

"Mais nous n'en parlerons à personne", dit Isabelle.

"Hum, hum. Ecoutez, continuez simplement à travailler très dur tous les trois", dit la Directrice, "et laissez-nous, les ducs et moi-même, nous inquiéter de ce que nous avons à faire."

Sur ce, elle les poussa dehors.

Tandis qu'ils faisaient leur chemin à travers le brouillard, Isabelle dit aux autres en grommelant :"Comment se fait-il que la Directrice, les ducs et le Roi puissent connaître les résultats de notre travail, et qu'ils ne nous en parlent pas ?"

"Vous savez à quoi ça me fait penser ?" leur dit Arthur. "A la façon dont on joue au ballon ici, dans le château".

D'habitude, chaque mardi, les employés du château jouaient au ballon en bas dans la cour sud. Là il y avait un grand terrain de sport et un tableau de marquage des points qui avait coûté très cher, et qui enregistrait les scores de chaque équipe grâce à un processus magique.

Il n'y avait qu'un problème : le brouillard dans le château était si épais qu'aucun joueur ne pouvait jamais lire ce qui était inscrit sur le tableau. Personne ne savait jamais quel était le score... jusqu'à la fin du jeu, où quelqu'un allait chercher une échelle et une lampe, et approchait son visage tout près des chiffres.

Ce manque d'informations rendaient les matches plutôt difficiles et en même temps assez ennuyeux, parce que personne ne savait jamais qui gagnait et qui perdait. C'est pour cette raison que les employés ne jouaient pas toutes les semaines, même si tout le monde adorait les matches de ballon ; quand on ne connaissait pas le score, quel était l'intérêt ?

"Bon, dans ce cas", dit Jacques, "pourquoi ne faisons-nous pas tous les trois ce que j'avais suggéré il y a longtemps à tous les joueurs de ballon du château... même si personne n'a jamais écouté mon conseil ?"

"Quoi donc ?" demanda Isabelle.

"Si nous ne pouvons pas voir le tableau des scores, il suffit de ne pas s'y fier", dit Jacques. "Comptons nous-mêmes les points. Ainsi nous saurons si notre effort supplémentaire porte ses fruits ou non."

"Comment allons-nous faire cela ?"

"Il faut que nous mesurions notre travail", dit Jacques, "par nos propres moyens".

Ils se regardèrent tous les trois et approuvèrent ensemble par un signe de tête.

"Bien, faisons cela", dit Arthur.

Ils se mirent donc d'accord pour effectuer leurs propres mesures : des mesures faciles, simples. Après tout, comme Isabelle l'avait souligné, s'ils passaient leur temps à élaborer des mesures, ils auraient beaucoup moins de temps pour fabriquer des Flèches Magiques, ce qui était la chose importante.

Ils gardèrent donc un stylo et un carnet à portée de main pour pouvoir prendre note, au fur et à mesure, des choses qu'ils terminaient. Arthur marquait tout simplement d'un trait chaque tige de flèche qu'il finissait, comme ceci...

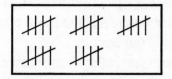

Ce n'était pas compliqué. Mais l'effet fut plus grand que ce qu'on aurait pu escompter.

Quelques jours après que les trois amis eurent commencé à tenir des comptes, Arthur commença à entendre un drôle de bruit. Cela ressemblait un peu au bourdonnement qui avait suivi le discours du Roi, mais en plus fort.

Le bruit devint distinct quand Arthur regarda le carnet où il comptait ses tiges de flèches, et quand il réalisa combien il en avait produit. Bien sûr, le bruit ne s'était pas déclenché d'un seul coup, mais jusqu'à présent il n'avait pas été assez fort pour qu'Arthur puisse l'entendre :

Zapp !

Arthur sentit en même temps, autour de lui, une sorte d'électricité. C'était une énergie qui provenait à la fois de la connaissance et l'accomplissement. Jusqu'à présent, la seule fois où il avait vraiment ressenti cela, c'était sur le terrain de ballon. Il n'y crut pas au début, mais à son grand étonnement, il ressentait cela maintenant au travail (un travail que pendant longtemps il n'avait pas aimé).

Pourquoi ?

Eh bien, Arthur se dit qu'en prenant l'initiative de mesurer lui-même son travail et en faisant ensuite ce qu'il avait décidé, il avait pris les choses en main. Sans vraiment le vouloir, il avait commencé à prendre des responsabilités.

En même temps, il commença à se sentir mieux. Même son aire de travail semblait plus lumineuse, le brouillard moins dense.

Quand il baissa les yeux sur ses mains et son corps, il lui sembla qu'ils étaient baignés d'une lumière qu'on ne discernait que vaguement, mais qui était là.

Ils mangèrent tous les trois ensemble à la fin de la semaine, et dès qu'Arthur vit ses amis, il leur dit : "Je vois qu'il se passe la même chose pour vous.".

"Oui, probablement un effet secondaire des expérimentations magiques des sorciers, dans le Donjon de la R. et D.", dit Jacques.

"Non, je crois que cela vient de nous", dit Isabelle. "C'est quelque chose que nous nous faisons à nous-mêmes."

"Que nous faisons-nous à nous mêmes ?" demanda Jacques. "Que pourrions-nous bien nous faire à nous-mêmes ?"

"Nous prenons des responsabilités, voilà ce que nous faisons", dit Isabelle.

"Nous n'avons aucune responsabilité", répliqua Jacques.

"Si, nous en avons", dit Arthur. "Nous sommes responsables de notre propre travail."

"C'est vrai", dit Isabelle. "Nous avons pris une responsabilité quand nous avons passé un accord tous les trois."

"Alors peut-être que nous devrions arrêter", dit Jacques. "Je sais que c'est moi qui vous ai entraînés là-dedans, mais je ne sais pas où cela va nous mener".

"Arrêter ?!" dit Arthur. "Je ne veux pas arrêter maintenant. C'est la première fois de ma vie que je me sens presque bon dans mon travail !"

"En plus, que faisons-nous de mal ?" demanda Isabelle. "Nous avons simplement décidé de faire un effort parce que les dragons sont en train de gagner, nous avons donc entrepris de déterminer ce qui était important, et maintenant nous suivons les progrès de notre travail. Qu'y a-t-il de mal dans tout ça ?"

"Rien", admit Jacques. "C'est simplement une impression bizarre."

En fait, Jacques ne réalisa pas tout de suite quel était le sentiment qu'il éprouvait quand il entendait le bruit du Zapp ! et quand il ressentait cette énergie autour de lui, parce qu'il n'avait pas éprouvé ce sentiment depuis longtemps. Mais au bout d'un moment il l'identifia.

C'était de la fierté.

Au cours d'un de leurs déjeuners, quelques semaines plus tard, tous les trois essayèrent de traduire avec des mots ce qu'était le Zapp ! et à quoi pouvait s'assimiler le fait d'être Zappé. Arthur écrivit ceci.

NOTE DE L'ATELIER DE :
Arthur RENOVETOI

Tour Deux, Château de Malronne

Zapp ! est le sentiment porteur d'énergie qui naît avec l'accroissement de la connaissance, l'accroissement de la compétence et un plus grand contrôle sur les évènements.

Quand vous avez été Zappé, vous avez le sentiment
• que vous êtes responsable de votre propre travail ;
• que votre travail vous appartient ;
• que vous êtes digne de confiance ;
• que vous êtes capable de faire des progrès ;
• que vous savez ce qui est important, ce qui se passe ;
• que vous tirez de la fierté de votre travail.

La charge du Zapp ! est très positive.

Entre temps, Arthur remarqua la chose suivante : le simple fait de tenir ses comptes lui permettait d'effectuer souvent un peu plus de travail sans effort supplémentaire ou presque. Peut-être que c'était simplement la nature humaine ; maintenant qu'il connaissait le score, il voulait tout naturellement l'augmenter. Mais souvent, en étudiant les chiffres, il comprenait plus facilement ce qui le ralentissait et diminuait sa performance.

En tout cas, quelle qu'en fût la raison, sa production de tiges augmenta effectivement. Et au fur et à mesure que le score grimpait, Arthur se sentait de mieux en mieux.

Zapp !

Régulièrement, Arthur demandait aux autres : "Combien en as-tu faits ?"

"J'en ai fait vingt-et-un hier."

"J'en ai terminé vingt-six ; mieux qu'hier."

Et ainsi de suite.

Ils se rendirent vite compte qu'on ne pouvait pas comparer un "vingt-et-un" de Jacques, un "trente-deux" d'Arthur et un "vingt-six" d'Isabelle, parce que chacune de leurs tâches nécessitait une quantité différente de temps et d'efforts. C'était mélanger les torchons et les serviettes que de comparer les chiffres d'une personne avec ceux d'une autre.

Les chiffres ne voulaient rien dire en eux-mêmes.

Ce qui créait le Zapp ! était le fait de dépasser ces chiffres.

Bien sûr, la mesure du travail ne constituait pas une révolution pour la Tour numéro Deux.

Le Patron gardait toutes sortes de chiffres et de comptes.

Presque tous les jours, un œil désincarné flottait à travers la Tour, comptant et enregistrant tout ce qu'il voyait.

Les magiciens avaient développé ces yeux flottants, jadis, comme moyen de récolter l'information, mais ils n'avaient pas pensé à adjoindre une bouche à l'œil pour que l'information puisse être partagée. Même la Directrice n'avait pas accès à tout ce que les yeux enregistraient.

Les yeux flottants fichaient la frousse à tous les employés. Tout le monde les haïssaient. Ils n'étaient pas du tout Zappants. Au contraire : le brouillard et l'obscurité étaient toujours plus épais et profonds quand les yeux étaient passés quelque part.

Mais Arthur et les autres découvraient que le fait de mesurer sa propre performance était complètement différent. C'était un bon Zapp ! de savoir si vous étiez bon ou pas.

Avec le temps, cependant, ils s'aperçurent que leur production tendait à plafonner et à stagner autour d'une moyenne.

"Combien en as-tu faits aujourd'hui ?"

"A peu près le même nombre qu'hier."

"J'en ai fait le même nombre que d'habitude."

Même en sachant leur score, ils trouvaient que le jeu devenait un peu monotone, et les Zapps se faisaient plus rares.

"Vous savez de quoi nous avons besoin ?" dit Arthur. "Nous avons besoin de viser quelque chose. Nous avons besoin d'un but."

"D'accord", dit Isabelle, "mais qu'est-ce que cela pourrait être ?"

"Je ne sais pas", dit Arthur. "Nous n'avons qu'à choisir chacun notre propre but, et essayer de l'atteindre."

"Attends une minute", dit Jacques. "Quand chacun de nous aura choisi un but, comment saura-t-il si le fait de l'atteindre fera vraiment une différence ? Si nous nous fixons chacun un objectif et que nous nous tuons au travail pour l'atteindre, alors il faudrait qu'il corresponde à quelque chose."

"Nous devrions peut-être parler avec la Directrice", suggéra Isabelle.

"Pourquoi veux-tu toujours parler avec la Directrice ?!" demanda Jacques. "La dernière fois que nous lui avons parlé, elle ne nous a été d'aucune aide !"

"C'est son travail de savoir ce qu'il faut faire", dit Isabelle. "Elle est supposée savoir ce que nous essayons tous d'accomplir, par conséquent c'est elle qui devrait nous aider à établir nos objectifs."

Jacques acquiesça en grommelant, et plus tard dans la journée, ils allèrent encore une fois voir la Directrice.

"Qu'est-ce qui se passe ?" demanda-t-elle.

"Eh bien", dit Isabelle, "nous essayons de faire des progrès dans notre travail, et nous pensions que le fait d'avoir un objectif pourrait nous aider."

"Un objectif pour vous-mêmes ? Vous voulez dire quelque chose à atteindre ?" demanda la Directrice.

"Voilà, un objectif qui ait un sens", dit Arthur. "Quelque chose qui fasse que lorsque nous l'atteindrons, cela aura vraiment un impact, et cela fera une différence."

"Bonne idée !" dit la Directrice. "Humm... Laissez-moi réfléchir une minute." Elle se caressa le menton pendant quelques secondes, puis avec un grand sourire elle se leva, et donna à chacun une tape sur l'épaule. "Voici un objectif pour vous : Continuez à en faire plus ! Cela doit être votre objectif. Continuez simplement à en faire plus ! Si vous continuez à en faire plus, vous aurez toujours de quoi faire !"

Les trois employés tinrent leur langue jusqu'à ce qu'ils soient sortis du bureau du Patron, puis Arthur et Jacques s'en prirent à Isabelle.

"Ça alors, c'était génial, Isabelle", dit Jacques ironiquement. "Ça nous a beaucoup aidé !"

"Ouais, Isabelle. "Continuez simplement à en faire plus !", nous a-t-elle dit. Quel bel objectif !" dit Arthur. "C'est comme si on était au milieu de l'océan et que le capitaine criait "ramez plus vite !" Peu importe où nous allons ! Peu importe si nous atteindrons la terre un jour !"

"Si tout ce qu'elle est capable de nous demander est toujours plus, plus, PLUS, à quoi sert même d'essayer ?" demanda Jacques.

"Bon d'accord, c'est vrai ! Elle n'est pas le meilleur patron du monde !" dit Isabelle. " Mais elle est le seul patron que nous ayons et nous devons nous entendre avec elle."

Ils marchèrent un peu dans le brouillard de la Tour numéro Deux. Puis Arthur demanda : "Alors qu'est-ce qu'on fait maintenant ?"

"Revenons à ton idée. Fixons-nous chacun notre propre objectif et essayons comme ça.", dit Jacques.

"Ouais, je suppose qu'il faut faire comme ça", dit Arthur. "Isabelle, qu'en penses-tu ?"

Mais Isabelle avait la tête ailleurs.

"Isabelle ?"

Elle revint à la réalité. "Désolée, je réfléchissais."

"A quoi ?"

"Je me demandais quelle autre personne nous pouvions interroger pour trouver ce qui est vraiment important et quelle sorte de but nous devrions nous fixer. Et je pensais que nous devrions peut-être parler au Roi."

En effet, le château pratiquait la politique de la porte-ouverte. Bien que le Roi fût le Roi, n'importe qui pouvait lui parler. Il suffisait d'aller à la Salle du Trône.

"Ouais", dit Jacques, "mais si nous faisons cela, nous risquons de provoquer la fureur de la Directrice sous prétexte que nous ne passons pas par elle."

"Exactement, et il y a un autre problème", dit Isabelle. "Le Roi s'occupe de tout le château. Il ne saura pas ce que nous devons faire ici dans la Tour numéro Deux. Mais du coup je me suis souvenue d'une chose que mon père disait toujours avant qu'il déménage : le vrai roi, c'est le client, parce que le client a toujours raison."

"Et alors ?" demanda Jacques.

"Alors pourquoi ne parlons-nous aux clients pour découvrir ce qu'ils pensent ? Peut-être que nous trouverons suffisamment d'informations pour établir nos propres objectifs."

Jacques et Arthur trouvèrent l'idée géniale. Dès le lendemain, tous les trois allèrent déjeuner en ville, mangèrent rapidement et passèrent le reste du temps à faire du porte-à-porte ; ils posèrent aux habitants des questions comme : "Combien de Flèches Magiques pensez-vous que la Tour numéro Deux devrait produire ?"

Au fur et à mesure de leurs visites, ils réussirent à se faire regarder de travers par beaucoup de gens. Ils réussirent même à se faire claquer certaines portes au nez. Mais ils ne réussirent pas à obtenir l'information nécessaire pour établir leurs objectifs.

"Je m'en fiche comme d'une guigne, du nombre de flèches produites par la Tour numéro Deux !" dit un vieillard acariâtre. "Je veux simplement que les chevaliers rappliquent et que les dragons s'en aillent quand je sonne du clairon !"

Un peu déçus, Isabelle, Jacques et Arthur retournèrent au travail.

"Bravo Isabelle, tu as gagné sur toute la ligne", dit Jacques d'un ton aigre.

"Apparemment, nous ne nous sommes pas adressés aux bons clients", dit Arthur pour défendre Isabelle, "sinon ils auraient eu un avis sur ce que nous faisons."

"Qu'est-ce que tu veux dire par "nous ne nous sommes pas adressés aux bons clients" ?" dit Jacques. "Qui paie les factures, à ton avis ?".

Quoi qu'il en soit, plus tard dans la journée, tous les trois furent convoqués dans le bureau de la Directrice. Il y avait là, avec elle, un immense et bel homme en armure.

"Voici le Seigneur Bob, Capitaine des Chevaliers du Roi", dit la Directrice. "Il veut savoir si vous étiez tous les trois en ville à l'heure du déjeuner aujourd'hui."

"Pourquoi ?... oui, nous y étions" dit Jacques.

"Alors tous les trois vous devez être ceux qui ont frappé aux portes des habitants de la ville", dit le Seigneur Bob.

"Oui, c'est nous", dit Isabelle. "C'est gênant ?"

"Vous ne devriez pas embêter nos clients", dit le seigneur Bob.

"Nous voulions juste nous faire une meilleure idée du nombre de flèches que nous devrions fabriquer", dit Arthur. "Qu'est-ce qu'il y a de mal à cela ?"

"Si c'est cela que vous voulez savoir, vous auriez dû m'en parler !" dit le seigneur Bob. "Après tout, ce sont les chevaliers qui utilisent vos flèches."

"Ah !" dit Arthur. "Alors vous et les chevaliers, vous êtes nos clients !"

"Eh bien... oui, on peut dire ça comme ça, je suppose."

"Très bien", dit Isabelle. "Alors peut-être que vous pouvez nous aider. Nous voulons avoir un objectif... un objectif qui ait un sens, et qui corresponde à quelque chose dans le combat contre les dragons."

"N'avions-nous pas convenu que vous essaieriez simplement d'en faire plus ?", dit la Directrice.

"Eh bien nous essayons d'en faire plus", dit Arthur.

"Mais comme objectif, "en faire plus", c'est trop vague", dit Jacques. "Nous avons besoin de quelque chose de précis."

"Très bien", dit la Directrice, et elle se tourna vers le Seigneur Bob. "Je sais que les chevaliers et vous, vous vous plaignez toujours parce que vous n'avez pas assez de Flèches Magiques. Voilà donc une opportunité en or. Combien de Flèches Magiques ces personnes devraient-elles essayer de produire, d'après vous ?"

"Humm...", dit le Seigneur Bob. "Je ne sais pas vraiment. Mais ce que je sais, c'est que nous n'en avons jamais assez."

"Ne pourriez-vous pas nous donner un chiffre que nous essaierions d'atteindre ?"

Juste à ce moment, le son des clairons se fit entendre à travers la campagne, et les trompettes de l'Entrée Principale retentirent, appelant les chevaliers à leurs devoirs.

"Oh-oh....", dit le Seigneur Bob, "c'est une alarme signalant quatre dragons. Je dois me dépêcher. Ecoutez, vous n'avez qu'à faire le double du nombre de flèches que vous fabriquez pour l'instant. Je suis sûr que ce sera suffisant."

Et le Seigneur Bob se précipita pour combattre les dragons.

"Là", dit la Directrice aux trois employés. "Que pensez-vous de cet objectif ?"

Quand ils furent dehors, Arthur dit : "Bon, au moins nous avons découvert qui étaient nos réels clients."

Isabelle dit : "Mais je ne peux pas y croire ! Le double ?!"

"Tu as bien entendu", dit Jacques. "Faire le double du nombre de flèches que nous fabriquons pour l'instant."

"Il a vraiment dit " le double ", je ne rêve pas ?" dit Arthur.

"Cet abruti a dit "le double", dit Jacques. "Eh bien, ça nous apprendra à poser des questions idiotes. Nous aurions dû choisir un objectif nous-mêmes."

"Mais Jacques, il faut choisir des chiffres qui veulent dire quelque chose, sinon nous ne faisons que jouer à un jeu", répliqua Isabelle. "Tu sais, moi je pense que nous avons bien fait, même si on nous a donné une réponse que nous aurions préféré ne pas entendre."

"Mais c'est un objectif impossible à atteindre", dit Jacques. "Nous ne pourrons jamais faire ça."

"Attends", dit Arthur, "comment sais-tu que c'est impossible ? Et si les chevaliers avaient réellement besoin du double de Flèches Magiques par rapport à ce que nous produisons ? Est-ce que nous ne devrions pas au moins essayer d'atteindre ce nombre ?"

"Vous êtes fous !" dit Jacques. "Nous ne réussirons jamais à doubler le nombre de flèches que nous fabriquons pour l'instant !"

"Ecoute, je ne vais pas me tuer au travail pour ça", dit Isabelle. "Mais je suis d'accord avec Arthur. Nous devrions au moins essayer."

"Je vous dis que c'est impossible."

"Peut-être que non", dit Arthur. "Vous savez ce qu'il nous faudrait ? Il nous faudrait un de ces... vous savez, un de ces je-ne-sais-plus-quoi... une de ces idées que trouvent les génies et qui permettent de faire quelque chose qu'on n'aurait jamais pu faire auparavant."

"Tu veux dire une invention révolutionnaire?" demanda Isabelle.

"C'est ça ! C'est ça !" dit Arthur. "Nous avons besoin d'une invention révolutionnaire !"

Jacques fit des yeux gros comme des billes. "Ecoute, je ne voudrais pas te faire de peine, mon petit Arthur, mais les inventions révolutionnaires, ça n'arrive pas comme ça."

"Nous pourrions quand même essayer d'en imaginer une, non ?"

"Ouais. C'est ça, vas-y." dit Jacques en marchant à l'aveuglette dans le brouillard. "Moi, je retourne faire les choses comme je les ai toujours faites."

Lorsqu'ils se retrouvèrent la fois suivante, Arthur avait un curieux sourire sur la figure.

"Qu'est-ce qui te fait sourire ?" demanda Jacques.

"Vous vous souvenez quand nous avons parlé d'inventions révolutionnaires ?"

"Et alors ?"

"Eh bien j'en ai trouvé une", dit Arthur.

"C'est vrai ? Qu'est-ce que c'est ?" demanda Isabelle.

Arthur se pencha vers eux . "C'est un secret !"

"Tu peux nous le dire", dit I sabelle. "Nous sommes amis. Nous travaillons ensemble depuis des années."

"Non, je ne le dirai à personne. Je vais me contenter d'en profiter tout seul", dit Arthur. "Mais je peux te dire qu'avec mon idée, la production de flèches va être multipliée par deux. En fait, je suis étonné que personne n'y ait pensé plus tôt."

Le lendemain, tout le monde était au courant de l'invention géniale d'Arthur Rénovetoi.

5

L'après-midi suivant, il y eu un grand remue-ménage dans la Tour numéro Deux : la Directrice débarqua, furieuse.

"Qui a fait ces tiges de flèches ?" demanda-t-elle.

Arthur Rénovetoi jeta un coup d'œil et reconnut fièrement son propre travail. Avec un grand sourire, il dit : "C'est moi !"

"Ce n'est pas une flèche !" hurla la Directrice, agitant un échantillon en l'air. "C'est une fléchette !"

En effet, la petite flèche qu'elle tenait était deux fois plus courte que le modèle traditionnel de la Tour numéro Deux.

"Mais c'est ma grande invention révolutionnaire !" dit Arthur.

"Quelle invention révolutionnaire ? De quoi parlez-vous ?"

"Le Seigneur Bob a dit que nous devions doubler notre production. J'ai donc coupé toutes mes tiges de flèches en deux, et j'en ai ainsi fait deux fois plus !" dit Arthur. "Pas bête, hein ?"

La Directrice lui lança un regard furieux. "Le Seigneur Bob vient de m'informer que les chevaliers ne pouvaient pas utiliser ces petites flèches ridicules ! Ils ne peuvent pas tendre les cordes de leurs arcs parce que les flèches ne sont pas assez longues !"

"Oh", dit Arthur. Il se mit à rougir de honte. "Je n'avais pas pensé à ça."

"Toutes vos flèches d'hier vont devoir être détruites", dit la Directrice. Puis elle ajouta tranquillement : "Ecoutez, je sais que vous et vos amis essayez de faire des efforts. Mais la prochaine fois que vous inventez quelque chose, pourriez-vous s'il vous plaît m'en parler avant ?"

"Bien sûr", dit Arthur. "Désolé."

L'histoire d'Arthur et de son invention ratée se répandit rapidement dans les rangs des faiseurs-de-flèches. Arthur devint l'objet de nombreuses plaisanteries.

Pendant le déjeuner, alors que Jacques et Isabelle essayaient de le consoler, Arthur dit : "Vous savez, le pire dans l'histoire, ce n'est pas le fait que la Directrice m'ait crié dessus. Le pire, c'est que j'étais heureux au travail... pour la première fois depuis des années. Peut-être pour la toute première fois."

"C'est vrai ?" demanda Isabelle. "Je croyais que tu t'ennuyais toujours."

"Je m'ennuyais, jusqu'à ce que je commence à avoir une vision plus globale de ce qui se passe, que je suive les progrès que nous faisions, et que j'imagine comment nous pouvions faire mieux", dit Arthur. "Ensuite j'ai eu mon idée, et ça c'était vraiment chouette, parce que c'était mon idée et j'allais la réaliser."

"Dommage que ça n'ait pas marché", dit Jacques.

"Ecoute, peut-être que tu auras une autre idée", dit Isabelle. "Et peut-être que cette idée sera meilleure."

Quelques semaines passèrent. Jacques avait arrêté de demander aux autres où ils en étaient. En fait, Jacques considérait que toute la campagne "faites plus d'efforts" avait été un échec sur toute la ligne.

Il fut donc surpris quand Arthur annonça spontanément un jour, au cours du déjeuner, qu'il produisait maintenant plus de trente tiges de flèches par jour, cinq de mieux que son ancienne moyenne.

"C'est bien", dit Jacques.

Quelques semaines passèrent encore. Arthur annonça qu'il en était maintenant à trente-trois tiges de flèches par jour.

Cela passa ensuite à trente-huit tiges par jour.

Peu de temps après c'était quarante-deux.

Quelques semaines plus tard c'était quarante-six.

Et rapidement ce fut cinquante-et-une.

"Ouaouh" dit Isabelle. "Tu as réussi ! Tu as doublé ta production !"

"C'est bien vrai, dis-moi ?" demanda Jacques. "Tu en fais vraiment deux fois plus qu'avant ?"

"Ouais", dit Arthur. "Absolument. Mes chiffres ne mentent pas."

"Tu dois te tuer au travail", dit Jacques. "Tu dois être complètement crevé quand tu rentres chez toi le soir."

"Non", dit Arthur. "A vrai dire, je me sens plutôt bien. C'est-à-dire... je suis fatigué, mais je ne travaille pas beaucoup plus dur qu'avant. Et je ne sais pas pourquoi, mais je ne me suis jamais senti aussi bien."

"Mais comment fais-tu ?" demanda Jacques.

Arthur se pencha vers lui et se tapota le côté du crâne avec l'index. "L'intelligence, mon petit, l'intelligence !"

Cet après-midi, Jacques trouva une excuse pour descendre à l'Atelier des tiges et observer l'aire de travail d'Arthur. Il fut surpris de voir qu'au premier coup d'œil, il n'y avait pas de changement majeur par rapport à avant ; mais il y avait beaucoup moins de brouillard que dans beaucoup d'autres aires de travail de la Tour, et Arthur lui-même semblait être entouré par un champ d'énergie lumineux, comme par des sortes d'éclairs. Mais encore ?

"Bon, je voudrais savoir comment tu fais", dit Jacques à Arthur.

"Je te l'ai dit, j'utilise..."

"Ouais, ouais, ouais", dit Jacques. "Maintenant dis-moi la vérité, c'est quoi ton truc pour être si bon ?"

"Eh bien", dit Arthur, "ça m'est venu un matin au réveil. J'étais sur la bonne voie avec mon invention. C'était juste l'approche qui était mauvaise."

"Qu'est-ce que tu veux dire ?" demanda Jacques.

"Tiens, jette un coup d'œil", dit Arthur. "Je l'ai écrit là-dessus."

NOTE DE L'ATELIER DE :
Arthur RENOVETOI

Tour numéro Deux, Château de Malronne

**RACCOURCIR LE PROCESSUS,
PAS LES FLECHES !**

"Mais comment peux-tu raccourcir le processus ?" demanda Jacques.

"En trouvant une petite idée à la fois", dit Arthur.

Il montra alors à Jacques tous les nombreux petits moyens auxquels il avait pensé pour raccourcir le processus de fabrication.

Par exemple, il avait réorganisé tous ses outils ; ainsi il savait où les prendre sans même détourner les yeux de son travail, et il ne perdait plus quelques secondes de trop à les chercher.

Il avait aussi supprimé une section de son établi et rassemblé tout ce qui se trouvait dessus ; ainsi il n'avait plus qu'un pas à faire au lieu de deux ou trois.

Ensuite il avait apporté un tabouret avec des roulettes ; s'il était fatigué vers la fin de la journée, il pouvait s'asseoir et rouler d'avant en arrière sans ralentir sa cadence.

"Isabelle et toi, vous m'aviez sermonné quand j'avais passé tout ce temps à aiguiser mes outils", dit Arthur, "mais je me suis aperçu que ces outils aiguisés me permettent de faire quatre ou cinq tiges de plus par jour, parce que je coupe plus vite, et je fais moins d'erreurs."

C'était un autre point : Arthur travaillait à éliminer les erreurs. Bien sûr, c'était un être humain, et il en faisait encore beaucoup. Mais, étant humain, il avait aussi un cerveau qui lui permettait d'établir de petits systèmes pour l'empêcher de faire une bêtise dans un moment de distraction.

"Enfin la plus grande des petites améliorations", dit Arthur, "c'est ceci."

Il saisit un espèce de gadget fait-main qui ne semblait pas du tout impressionnant – jusqu'à ce qu'il procède à la démonstration.

Ce gadget était un calibre spécial qu'il avait fabriqué lui-même ; cela lui permettait de couper cinq tiges à la fois, et de maintenir ces tiges en place pendant qu'il taillait les crans pour les plumes et les encoches pour les pointes.

Cela ne lui faisait gagner qu'une heure environ sur chaque journée, mais cela signifiait qu'il avait une heure en plus pour fabriquer d'autres tiges sur son tour. Ainsi, entre la suppression des pertes de temps et le temps supplémentaire, il avait obtenu une augmentation d'environ 25 pour cent – ce qui suffisait, avec toutes les autres petites améliorations, pour aboutir à une grande amélioration.

"Mais n'importe qui aurait pu faire ce que tu as fait !" dit Jacques.

"Mais *n'importe qui* ne l'a pas fait", dit Arthur. "*Moi*, je l'ai fait."

Jacques repartit, jaloux. Le lendemain, cependant, il se mit à essayer le même genre de choses dans l'Atelier des Pointes.

Bientôt, ce fut lui qui se vanta de ses chiffres au déjeuner : "Trente-deux hier". Puis "Jusqu'à trente-quatre maintenant".

Puis : "Aujourd'hui c'est un grand jour, j'ai dépassé les quarante pointes de flèches."

Petit à petit, il arriva à fabriquer cinquante pointes de flèches par jour, et se mit à viser les soixante. Ce n'était qu'une question de temps, sentait-il, avant que, lui aussi, il double sa production.

De son côté, à peu près à la même période, la Directrice s'absenta un jour de la Tour numéro Deux. Elle et tous les patrons de toutes les tours du château avaient été convoqués à une grande réunion. A partir du moment où vous étiez le patron de quelqu'un, vous étiez invité. Et ce fut à cette grande réunion que les ducs annoncèrent "le P.A.R.".

"P.A.R.", bien sûr, voulait dire "Plan d'Amélioration Rapide". Et ce fut à cette réunion que les ducs se levèrent l'un après l'autre et dirent en fait la même chose, qui était : "Vite ! Nous avons besoin d'amélioration !"

Le Duc des Opérations parla en dernier, et dit : "Nous attendons une amélioration de dix pour cent des performances de chacun, dans le château, avant la prochaine Lune du Dragon !"

Quand elle entendit cela, la Directrice de la Tour numéro Deux fut subitement saisie d'anxiété. En effet, les ducs n'avaient pas expliqué comment elle et les autres patrons étaient supposés effectuer cette amélioration de dix pour cent. Pour motiver leurs troupes, les ducs distribuèrent des calendriers où la date de la Lune du Dragon était entourée.

La Lune du Dragon était la saison pleine du château, une période où les détections de dragon doublaient ou triplaient souvent... et la prochaine n'était pas très éloignée dans le temps.

Voyez-vous, comme presque tout le monde au château, la Directrice de la Tour numéro Deux travaillait de la même façon depuis tellement longtemps qu'elle ne savait pas comment changer.

Et bien sûr c'était impossible de faire des progrès sans un certain changement. Par conséquent la Directrice était dans une impasse.

Elle parcourut la Tour numéro Deux de haut en bas, disant à chaque faiseur-de-flèches : "Allons-y ! Je veux que chacun de vous fasse dix pour cent de plus !"

Mais quand elle alla voir Jacques, il la regarda droit dans les yeux et dit : "Je vous ai déjà fait cadeau d'une amélioration de quatre-vingt pour cent ."

"Continuez", dit la Directrice.

"C'est un fait. Je le sais parce que j'ai tenu mes comptes moi-même".

La Directrice fut abasourdie ; elle n'en revenait pas. Elle soupçonna Jacques de mentir. "Bien, je vais vérifier dans mes archives pour voir si c'est vrai."

Elle le fit, et d'après les données collectées par les yeux flottants, il était indéniable que Jacques avait raison. Elle remarqua également qu'un autre faiseur-de-flèches, un certain Arthur Rénovetoi, avait amélioré sa performance de 100 pour cent dans les derniers mois.

Le lendemain, la Directrice vit Jacques et Arthur qui déjeunaient avec Isabelle dans la cour ; comme elle imaginait (et elle avait raison) qu'elle aurait besoin de tous les alliés qu'elle pourrait trouver avant la prochaine Lune du Dragon, elle se précipita vers eux.

"Arthur ! Jacques ! Félicitations à tous les deux ! Vous faites un travail exceptionnel. Jacques, vous êtes le meilleur faiseur-de-pointes de la Tour numéro Deux. Et Arthur, vous êtes non seulement le meilleur faiseur-de-tiges de la Tour numéro Deux, mais de tout le château."

"Qu'est-ce que je vous disais", répondit Jacques.

"Bon, maintenez le rythme", dit la Directrice ; et elle ajouta, en regardant Isabelle : "Si le reste des employés faisait aussi bien que vous, peut-être qu'à la fin nous pourrions fournir plus de flèches aux chevaliers."

"Que voulez-vous dire ?" demanda Arthur. "Ne livrons-nous pas plus de flèches aux chevaliers ?"

"Eh bien, en un mot", dit la Directrice, "non."

"Comment est-ce possible ?" demanda Arthur. "J'ai doublé ma production et Jacques a presque doublé la sienne ! Il devrait y avoir une certaine augmentation du nombre de flèches terminées, non ?"

"Non, pas selon mes rapports", dit la Directrice. "Nous produisons toujours le même nombre de Flèches Magiques qu'avant."

Quand la Directrice fut partie, Jacques et Arthur se tournèrent tous les deux vers Isabelle.

"Pourquoi me regardez-vous comme ça ?" demanda-t-elle.

"Parce que la baguette magique est la dernière étape de la fabrication des flèches", dit Arthur, "et il est évident que vous ne faites pas votre part du travail dans cet atelier. Autrement, avec toute la production supplémentaire que Jacques et moi nous fournissons, il y devrait y avoir une énorme augmentation du nombre de flèches terminées. J'ai raison oui ou non ?

"Ecoute, nous avons essayé !" dit-elle. "Peut-être que si vous me disiez le genre de truc que vous utilisez tous les deux, je pourrai faire mieux."

Ils mirent donc Isabelle dans leur "petit" secret, et elle aussi commença à chercher des petits moyens pour améliorer sa performance.

NOTE DE L'ATELIER DE :
Arthur RENOVETOI
Tour Deux, Château de Malronne

• Les Grands "Petits" Secrets : Les petits gains cumulés dans le temps, peuvent aboutir à un grand progrès.

• Les petits objectifs balisent la route qui mène aux objectifs plus importants.

• Effectuer beaucoup de petites améliorations peut être plus efficace que de courir après une grande invention révolutionnaire.

Ainsi jour après jour, Isabelle chercha des moyens pour éviter un pas par-ci et une erreur par-là. Et elle les trouva.

Très vite, elle se mit à finir son travail un peu plus tôt chaque jour. Au bout d'un moment, elle se rendit compte que dès le début de l'après-midi, elle n'avait plus rien à faire ; il n'y avait plus de flèches à rendre magiques.

Cela devint ennuyeux. Elle se mit alors à aider ses collègues d'atelier. Et en quelques semaines, tous ceux qui travaillaient à la baguette magique, au sommet de la Tour numéro Deux, avaient fini en milieu d'après-midi : plus de flèches à terminer jusqu'au lendemain matin.

Quand Arthur Rénovetoi entendit parler de cela, il dit : "Ouaouh ! Nous devons vraiment produire beaucoup de flèches maintenant !"

Quand il vit de nouveau la Directrice, Arthur dit : "Dites, Patron, qu'est-ce que vous pensez de cette grosse augmentation du nombre de flèches terminées ?"

"Quelle grosse augmentation ?" demanda la Directrice.

"Regardez les chiffres ! Nous devons produire au moins deux fois plus de Flèches Magiques qu'avant !"

Le Patron consulta donc le dernier rapport et dit à Arthur : "Non, désolée, mais nous produisons toujours le même nombre de flèches qu'avant."

"Quoi ? C'est impossible. Le nombre a forcément augmenté !"

"Ecoutez, je ne suis pas supposée vous montrer les chiffres", dit la Directrice, "mais puisque vous êtes un de mes meilleurs employés, regardez vous-même."

En effet, Arthur vit que depuis plusieurs lunes, la production moyenne de Flèches Magiques était restée à peu près la même. Il alla se plaindre auprès de ses amis.

"Je ne comprends vraiment pas. Jacques et moi nous

produisons deux fois plus qu'avant. Isabelle finit son travail plus vite. Pourquoi n'y a-t-il pas d'amélioration ?"

La réponse apparut subitement à Isabelle.

"La production finale de flèches ne peut pas avoir augmenté", dit-elle, "puisqu'il ne m'arrive pas plus de flèches qu'avant dans la Salle Magique. Si je termine plus vite les flèches que je reçois, c'est parce que maintenant je suis plus efficace. Mais le nombre total n'a pas augmenté : nous recevons toujours le même nombre de flèches qu'avant."

"C'est impossible !" dit Arthur. "Et toutes les pièces supplémentaires que Jacques et moi nous fabriquons ? Où vont-elles ?"

"Regardons dans la Tour", dit Jacques.

Ils n'eurent pas à aller très loin. Juste au-dessus de l'Atelier des tiges, il y avait l'Etage des Plumes, là où on collait les plumes sur les tiges des flèches. Dès qu'Arthur ouvrit la porte, un nombre impressionnant de paquets de tiges se répandirent et roulèrent en bas des escaliers. Il y avait des centaines de tiges de flèches empilées jusqu'au plafond, attendant toutes qu'on leur colle des plumes sur une extrémité.

Au-dessus de l'Atelier des Pointes, il y avait la Salle d'Attachage-des-Ficelles. Là, Jacques, Arthur et Isabelle trouvèrent un nombre incroyable de baquets remplis de pointes de flèches, et un tas de paquets de tiges de flèches avec des plumes ; tout cela était là en attendant que quelqu'un attache les pointes et les tiges ensemble.

Pendant ce temps, que faisaient les colleurs de plumes et les attacheurs de ficelles ? Ils continuaient à travailler de la même bonne vieille manière qu'avant.

"Qu'allons-nous faire ?" demanda Isabelle. "Nous ne pouvons pas faire deux fois plus de Flèches Magiques, comme le seigneur Bob nous l'a demandé – nous ne pouvons même pas atteindre ces dix pour cent de plus que la Directrice nous a demandés – sans les colleurs-de-plumes et les attacheurs-de-ficelle !"

"Je sais !" dit Arthur. "Cela ne change rien si tous les trois nous en faisons deux fois plus et que tout le monde autour reste sans bouger !"

"Tu as raison", dit Jacques. "Nous devons arriver à ce que dans tous les ateliers dans la Tour, c'est-à-dire à la fabrication des tiges, à la fabrication des pointes, au collage des plumes, à l'attachage des ficelles, et dans la salle magique – tout le monde progresse... ou nous serons coincés."

"Il faut que nous les amenions à nous aider", dit Arthur.

"Mais comment ?" demanda Isabelle. "Comment pouvons-nous faire en sorte que tout le monde travaille avec nous ? Comment les impliquer ? Comment pouvons-nous les persuader de faire les choses qu'ils devraient faire ?"

En effet, en toutes ces années où ils avaient travaillé au château, rien ne les avait préparé à cela. Ils étaient habitués à venir travailler, à faire ce que la Directrice leur disait de faire, à effectuer ce travail individuellement, puis à repartir chez eux à la fin de la journée.

Mais maintenant, pour se sauver eux-mêmes ainsi que le château et tout le pays de Malronne, ils devaient changer non seulement leur propre attitude mais aussi celle des autres.

Il s'agissait de réussir à ce que tout le monde travaille ensemble, comme une équipe, et ils ne savaient pas du tout par où commencer.

ATELIER D'EMISSION :
Arthur RENOVETOI

Tour numéro Deux, Château de Malronne

• Le travail effectué à chaque étape de fabrication
dépend du travail effectué en amont et en aval.

• Un progrès réalisé par une personne ne corres-
pond pas forcément à un progrès pour toute la
Tour.

• Nous devons penser en termes de progrès pour
toute la Tour, pas simplement pour une étape de
fabrication particulière !

• Pour faire cela, nous devons impliquer tous les
faiseurs-de-flèches.

• Pour réussir individuellement, il faut obtenir le
soutien des autres.

6

"**B**on", dit Jacques, "je crois savoir ce qu'il faut faire". Il avait un regard menaçant et déterminé. "Ne vous inquiétez pas, je vais m'en occuper sur le champ".

Ce qu'il fit.

Jacques se mit à courir de haut en bas à travers la Tour, en criant : "Mais qu'est-ce que vous avez ? Vous ne savez pas que les chevaliers ont besoin de plus de flèches ? Allez, bougez-vous un peu !"

A la fin de la journée, Jacques avait perdu tous ses amis, à part Arthur et Isabelle ; et ses ennemis ne l'aimaient pas plus.

"Hé, Jacques, qui t'a nommé responsable ? Qui es-tu pour nous dire ce que nous avons à faire ?" lui demandaient silencieusement (ou moins silencieusement) à la fois ses amis et ses ennemis. Cela ne plaisait à personne de se faire dicter sa conduite par un égal.

Ce fut bientôt évident que l'approche de Jacques par la manière forte n'était pas la bonne. Tout le monde continuait à traîner les pieds et à faire son travail de la même façon que d'habitude. La seule chose qui avait changé, c'est qu'ils en faisaient plutôt moins, parce qu'ils étaient furieux après Jacques.

"Ils sont tout simplement moins forts que moi", grommela Jacques. "Surtout ceux qui sont plus jeunes. Ils ne peuvent pas suivre."

"Jacques, tu ne peux pas crier sur les gens et espérer qu'ils te soutiennent", dit Arthur.

"Pourquoi n'essaierai-je pas ?" dit Isabelle. "Je crois que je sais comment faire pour obtenir le soutien des autres."

Le lendemain matin elle arriva au travail avec des bouquets de fleurs, et alla voir tout le monde dans la Tour, donnant une fleur à chacun. Ensuite elle chanta une petite chanson qui disait à quel point le monde était merveilleux et comme eux-mêmes étaient des gens merveilleux.

Puis elle dit gentiment : "Oh s'il vous plaît, s'il vous plaît, aidez-nous à faire plus de flèches !"

Les gens ne réagirent pas beaucoup mieux à la méthode d'Isabelle. La plupart se contentaient de sourire pour s'éloigner rapidement, et une fois qu'elle était partie, ils se tournaient les uns vers les autres en faisant : "Beurk !". D'autres, généralement vers le milieu de la chanson, couraient à la fenêtre la plus proche et vomissaient dans la cour.

Mais finalement personne ne fit rien pour augmenter la production de Flèches Magiques dans la Tour numéro Deux.

Pendant quelques jours, Isabelle ne se montra pas au déjeuner. Inquiets, Jacques et Arthur partirent à sa recherche. Ils parcoururent la Tour numéro Deux de haut en bas et trouvèrent finalement Isabelle sur le toit.

"Pourquoi te caches-tu ici ?" demanda Jacques.

"Je ne me cache pas", dit-elle. "Je suis juste folle de rage après tout le monde. Ce sont tous des abrutis."

"Laisse-moi deviner", dit Arthur. "Tu as essayé d'aller vers les gens et personne n'a réagi comme tu t'y attendais."

"J'ai été aussi gentille que possible !" dit Isabelle d'un air boudeur. "Pourquoi n'ont-il pas coopéré ?"

"Je suppose que pour amener les gens à faire des choses, il faut plus que de la gentillesse ou de la dureté", dit Arthur.

"Alors quelle est la solution ?" demanda Isabelle.

"Je ne sais pas", dit Arthur.

"Je ne sais pas non plus", dit Jacques en regardant au-delà du rempart. "Mais nous ferions mieux d'imaginer quelque chose assez rapidement, parce que... euh... regardez vous-mêmes."

Juste au bout de la route, droit devant eux, il y avait un dragon. Un gros dragon. Il venait de descendre du ciel.

"Ouh là là", dit Arthur. "Je n'en ai jamais vu un de si près."

"Il est vraiment affreux", dit Jacques.

"Comment-se fait-il que les guetteurs ne l'aient pas repéré ?" dit Isabelle.

"Je suppose que la plupart sont en train de déjeuner", dit Arthur.

"Il vaudrait mieux que quelqu'un avertisse ce type, là-bas."

"Quel type ?"

"Le type qui est sur le point de griller comme un toast."

En effet, il y avait un homme grand et maigre, habillé d'une manière curieuse, qui marchait sur la route, et qui tournait le dos au dragon.

"Hé, mon ami ! Hé !" lui cria Jacques. "Regardez derrière vous !"

Juste à ce moment, l'énorme ombre noire du dragon recouvrit l'homme. Celui-ci regarda par-dessus son épaule et comprit subitement dans quel péril il se trouvait. Il se mit à courir, mais en un coup de patte, le dragon le tenait dans ses serres.

A ce moment-là, ç'aurait pu être la fin pour le pauvre passant, mais c'était oublier une chose : les Dragons aiment souvent jouer avec leur nourriture. Il peut se passer plusieurs minutes, et quelquefois plusieurs heures avant qu'un dragon décide de manger sa proie. Ce trait de caractère peu sympathique a en fait sauvé plus d'un Malronnien, en laissant le temps aux chevaliers d'arriver sur les lieux et de tirer leurs flèches.

Pendant qu'il chauffait son souffle pour cracher des flammes, le dragon commença à lancer en l'air l'homme sans défense, jonglant avec ses deux pattes griffues, le faisant rebondir sur sa queue et ainsi de suite. Cela donna le temps à Arthur Rénovetoi de descendre les escaliers à toute vitesse, d'attraper d'une main quelques Flèches Magiques, et de l'autre, l'arc qu'on utilisait occasionnellement pour le contrôle de qualité.

Il retourna sur le toit, mit une flèche à son arc, tira... et rata son coup.

Son second tir fut meilleur. Il toucha le dragon à la tête, mais la flèche rebondit.

Enfin, heureusement, au troisième tir il toucha le dragon au cœur. La bête commença à rétrécir. Elle devint de plus en plus petite, si bien qu'au bout d'un moment l'homme en bas était devenu plus grand que le monstre. L'homme s'arracha des griffes du dragon, lui décocha un rapide coup de pied, et courut vers le château. Quelques secondes plus tard le dragon disparut complètement dans un brillant éclair de lumière.

Arthur, Jacques et Isabelle se précipitèrent vers l'Entrée Principale pour accueillir l'homme aux habits curieux ; il arrivait, soufflant et haletant, et traversa le pont-levis.

"Merci, vous m'avez sauvé la vie", dit l'homme.

"Ce n'est rien", dit Arthur. "Ça va ?"

"Quelques bleus et des égratignures, mais je survivrai", dit l'homme. "Puis-je faire quelque chose pour vous remercier ?"

"Ne vous inquiétez pas pour ça. Je suis sûr que vous auriez fait la même chose pour nous."

"Bon, si je peux vous aider de quelque manière que ce soit...". L'homme sortit une carte de visite de son portefeuille et la tendit aux trois employés.

DAVID D. IGNATIUS

Magicien Zapp !

Sorts en tous genres pour la prise de responsabilité

"Appelez-moi simplement David", dit l'homme.

"Vous êtes magicien ?" demanda Jacques.

"Oui."

"Vous êtes habillé d'une drôle de façon pour un magicien", dit Jacques. "La plupart des magiciens que je connais portent une grande robe et un chapeau pointu."

David baissa les yeux, regarda sa chemise blanche, son costume de travail, sa cravate, et dit : "Je ne suis pas comme la plupart des magiciens."

"Non, apparemment", dit Isabelle. "Je pensais que les magiciens avaient toujours un sort ou deux sur eux pour parer les attaques de dragon."

"C'est-à-dire que je pratique une autre sorte de magie", dit David. "Voyez-vous, il existe deux types de magie. Il y a la magie technique, comme celle que vous utilisez pour vos Flèches Magiques. Ce type de magie combat les dragons, guérit les verrues, et amuse les enfants. Et il y a aussi la Magie du Zapp !, qui donne aux gens une sorte de puissance capable de les amener au meilleur d'eux-mêmes. C'est dans ce sens qu'agissent mes tours de magie."

"Et que font-ils exactement, vos tours de magie ?" demanda Isabelle.

"Cela dépend", dit David. "Mais la plupart améliorent l'espace de travail : le brouillard y devient moins important et l'énergie pour faire les choses y est augmentée. Certains de mes sorts aident à résoudre les problèmes. D'autres permettent aux gens de se soutenir les uns les autres pour que tout le groupe puisse atteindre ses objectifs. Mieux encore, mes tours de magie aident les gens à mieux apprécier leur travail. Vous savez, le travail tient une grande place dans la vie ; et puisque nous devons travailler pour gagner notre pain, pourquoi ne pas en tirer d'autres avantages que le seul or que nous gagnons ?

"Oui, c'est une réflexion très intéressante", dit Isabelle.

"N'avez-vous pas dit que certains de vos tours de magie aidaient les gens à se soutenir les uns les autres ?" demanda Arthur.

"Si. Ecoutez, j'adorerais en parler avec vous, mais je dois partir maintenant", dit David. "Ce n'est pas un hasard si je suis ici aujourd'hui. J'allais voir le Roi. J'ai rendez-vous. En fait, il vaudrait mieux que j'aille à la Salle du Trône, sinon je vais être en retard."

"Attendez une minute. Vous savez, il existe peut-être un moyen pour vous de vous acquitter de cette faveur que vous nous devez", dit Jacques.

"Comment donc ?"

"Je crois que nous pourrions peut-être utiliser un peu de votre magie, dans le coin."

"Très bien ! Si le Roi approuve mon plan, ce sera sans problème. Je suis sûr que je peux vous aider", dit David. "Ecoutez, je vais probablement être très occupé tout le reste de l'après-midi, mais nous pourrions nous rejoindre ici à la fin de la journée ; nous en reparlerons."

Quand Arthur, Jacques et Isabelle quittèrent leur travail à la fin de la journée, David les attendait à l'Entrée Principale.

"Comment s'est passée votre réunion avec le Roi ?" demanda Isabelle.

"Pas aussi bien que je ne l'avais espéré", dit David. "Vous savez, le roi est un peu sceptique. Il n'a pas arrêté de se lamenter sur le fait que le coffre au trésor soit vide, et il ne veut pas investir une seule pièce d'or dans un nouveau projet. Je crois que je vais donc reprendre la route."

"Hé ! Attendez !" dit Isabelle. "Nous avons besoin de votre aide !".

"Ça oui", dit Arthur. "n'oubliez pas que nous vous avons sauvé la vie."

"Le minimum que vous puissiez faire est d'effectuer un tour de magie pour nous", dit Jacques.

"Bon, quel genre de tour de magie voulez-vous ?" demanda David. "Je veux dire... qu'est-ce que vous essayez d'accomplir ?"

Les faiseurs de flèches racontèrent à David la menace du dragon, la nécessité de doubler le nombre de Flèches Magiques pour les chevaliers, pourquoi il fallait impliquer les autres faiseurs-de-flèches pour que toute la Tour fasse des progrès, et comment ils avaient échoué.

David réfléchit. "Très bien, j'ai un tour de magie qui peut vous aider", dit-il. "Je suppose que ma vie vaut au moins un tour de magie."

"Pour l'instant vous ne faites que parler", dit Jacques. Il indiqua la Tour numéro Deux. "Bon, voilà, c'est là que nous travaillons. Donnez un coup de baguette magique... enfin faites ce que vous faites d'habitude."

"Ah, je suis désolé, mais ce n'est pas comme cela que fonctionne ma magie", dit David.

"Non ?"

"Non, ce n'est pas moi qui effectue le tour de magie."

"Si ce n'est pas vous, qui est-ce ?"

"C'est vous, les employés. C'est de la magie que l'on exerce soi-même."

"Mais nous ne sommes pas magiciens", dit Arthur.

"Vous n'en avez pas besoin."

"Je n'y connais rien", dit Jacques. "Personnellement, je n'ai jamais jeté de sort de ma vie."

"Peut-être, mais je vais vous dire une chose qui est sûre", dit David. "Je ne peux pas exercer cette magie pour vous. Vous devez le faire vous-mêmes."

Arthur, Jacques et Isabelle se regardèrent tous.

"Très bien", dit Isabelle. "Essayons."

David les emmena à part. "Le tour de magie que je vais vous apprendre s'appelle le Tour des Trois Clés."

"Ooooh !" dit Arthur. "Il a l'air très bien ! Quelle sorte de baguette magique devons-nous utiliser ?"

"Pour faire ce tour, vous n'avez pas besoin de baguette, ni de formule, ni de poussière magique, ni de quoi que ce soit", dit David. "On effectue ce tour en changeant son comportement avec son entourage. Bien, pour commencer, je vais vous divulguer quelque chose dont vous devrez toujours vous rappeler."

"Qu'est-ce que c'est ?"

"La Règle d'Or."

"La Règle d'Or ?"

"Exactement", dit David. "Dans toutes vos relations avec les autres employés du château, suivez la Règle d'Or. Vous savez ce que cela veut dire ?"

"Eh bien", dit Arthur, "cela signifie qu'il faut faire aux autres... bon, en gros, il faut traiter les gens comme on aimerait, soi-même, être traité."

"Exactement", dit David, "et c'est la clé du Tour des Trois Clés. Maintenant écoutez bien..."

Et il leur apprit le Tour des Trois Clés.

Quand David eut fini, le soleil était presque couché.

"Bon, bonne chance", dit-il. "J'ai une journée chargée demain, il faut que j'y aille. J'espère seulement ne pas rencontrer de nouveaux dragons sur le chemin du retour."

"Du retour où ?" demanda Arthur.

"Du retour chez moi, dans le monde normal."

"Le monde normal ? Où est-ce ?"

"Pas si loin que ça. C'est simplement difficile d'accès. C'est tellement long !". Et il agita la main en signe d'aurevoir.

"Attendez une minute !" dit Isabelle. "Et si cette magie n'est pas suffisante ?"

"Oui c'est vrai, comment faire si nous avons besoin de vous revoir ?" demanda Arthur.

David fronça les sourcils. "J'avais peur que vous me posiez cette question. La communication entre mon monde et le vôtre est très difficile, et je ne prévois pas de revenir dans cette région avant un bon moment."

"Je vous comprends : quand on a failli être mangé...", dit Jacques.

"Je vais vous dire ce que je vais faire quand-même", dit David. Il ouvrit son porte-documents et en sorti un petit coffre en bois, qu'il tendit à Arthur Rénovetoi. Bien sûr, Arthur essaya d'ouvrir le coffre, mais il n'y réussit pas. Il était fermé à clé.

"Si vous êtes sérieux, si vous pratiquez le Tour des Trois Clés et si vous l'apprenez bien", dit David, "vous aurez assez de puissance pour ouvrir le coffre."

"Qu'est-ce qu'il y a à l'intérieur ?" demanda Arthur.

"Toute la magie dont vous avez besoin jusqu'à ce que je revienne."

"Mais... mais..."

"Ne vous inquiétez pas, vous êtes des gens intelligents. Vous pouvez comprendre."

Sur ce, David tapa sept fois sur son porte-documents, claqua dans ses doigts, et dans un éclair de lumière qui semblait contenir toutes les couleurs du spectre, il disparut.

7

Le lendemain, dans la zone de confection des pointes de flèches, Jacques était au travail quand son collègue, Gilbert Douli, lui amena du métal spécial pour pointes de flèches.

Ce métal, pour être travaillé, devait être chauffé à une certaine température, que l'on désignait par "CHAU-CHAU-CHAUD !", et c'était à Gilbert de vérifier si cette température était atteinte. Mais au premier coup de marteau, Jacques s'aperçut que le métal n'était que "Chau-Humm Chaud".

Pendant toute la journée, Jacques avait sincèrement essayé de respecter la Règle d'Or et de suivre les indications de David, le Magicien Zapp !, pour effectuer le Tour des Trois Clés.

Ainsi Jacques avait fait de son mieux pour être agréable ; ça n'avait pas été trop difficile, parce qu'il n'y avait pas eu de problème... jusque là.

Jacques maintenant avait envie de réagir comme il réagissait d'habitude quand Gilbert faisait une bêtise, c'est-à-dire de lui hurler quelque chose comme : "Gilbert, espèce d'idiot !

Tu n'as vraiment rien dans la tête ! Tu ne sais pas reconnaître du métal CHAU-CHAU-CHAUD quand tu le vois ? Est-ce que tu fais exprès de gâcher mon travail, ou est-ce que c'est encore une de tes erreurs stupides ?"

Mais il leva les yeux et vit la note qu'il avait punaisée au mur ce matin. C'était une note qu'il avait écrite pendant sa conversation avec David, pour se rappeler comment faire le Tour des Trois Clés.

Une partie de la note disait...

Tour des Trois Clés

Pour effectuer le Tour des Trois Clés comportez-vous avec les autres selon ces principes :

1. Ne blessez jamais quelqu'un dans son amour-propre, mais n'hésitez pas à féliciter.

Jacques se rendait compte que s'il criait des insultes à Gilbert, comme il en mourait d'envie, il blesserait son collègue dans son amour-propre.

Par conséquent Jacques décida tout d'abord de faire comme si le problème n'avait jamais eu lieu ; quand Gilbert aurait le dos tourné, il réchaufferait le métal lui-même.

Puis, se rappelant la Règle d'Or, il pensa : "Attends une seconde, comment voudrais-tu être traité si tu avais fait une bêtise ? Est-ce que tu voudrais que quelqu'un répare ton erreur dans ton dos sans t'en parler ?"

La vérité était que non, il n'aurait pas aimé être traité de cette façon. Il aurait voulu être informé de son erreur pour pouvoir la réparer lui-même – sans pour autant qu'on lui fasse sentir qu'il était bête ou qu'il ne valait rien en tant que personne, sous prétexte qu'il avait fait cette bêtise.

Par conséquent, au lieu de hurler ou d'ignorer ce qui s'était passé, Jacques dit simplement : "Gilbert, je crois qu'il y a un problème avec le métal. Généralement tu me donnes du métal qui est à la bonne température, mais cette fournée ne semble pas assez chaude."

En tournant les choses de cette façon, Jacques faisait comprendre clairement que le problème venait de l'objet, le métal, et pas de la personne. En d'autres termes, Jacques ne blessait pas Gilbert dans son amour-propre.

Gilbert n'était pas particulièrement brillant, mais comme chacun de nous, à la base il voulait faire un bon travail. Il regarda le métal et dit : "Désolé, Jacques, nous avons eu des problèmes avec le fourneau. Laisse-moi le réchauffer tout de suite."

Quand Gilbert remit le métal dans le fourneau, un petit éclair apparut de nulle-part et éclata entre Jacques et son collègue.

Zapp !

"Eh bien, ça alors", pensa Jacques. "Peut-être que ce tour de magie fonctionne vraiment."

A partir de ce moment, même en cas de problème, Jacques fit de son mieux dans ses rapports avec ses collègues pour ne pas les blesser. Il traitait les gens avec respect. Il supposait à priori qu'ils étaient capables de faire un bon travail.

Quand des problèmes se posaient, Jacques essayait, en parlant aux gens, de séparer le problème de la personne – comme il l'avait fait avec Gilbert. Même quand quelque chose le mettait en colère, Jacques essayait de faire apparaître clairement que sa colère était liée au problème, pas à la personne.

Et quand les ouvriers le méritaient, Jacques essayait de leur dire des choses qui puissent les valoriser. Ce n'était pas tant des commentaires comme "Oh là là, tu portes une belle chemise" mais plutôt des félicitations comme "C'est du bon travail, Gilbert. Nous avons façonné vingt-quatre pointes aujourd'hui !"

Ce n'était pas toujours facile pour Jacques, parce qu'il se considérait comme un "dur", et traditionnellement, un dur n'est pas supposé s'inquiéter de choses comme les sentiments ou l'amour-propre des autres.

Cependant, étant un dur, Jacques s'obligea à respecter ces principes, parce qu'ils étaient vraiment efficaces. Au fil des jours, ces petits Zapps que Jacques émettait se mirent à connecter les gens entre eux.

Peu à peu, d'autres faiseurs-de-pointes se mirent à suivre l'exemple de Jacques et émirent à leur tour le Zapp qu'ils avaient reçu. Ils devinrent bien plus qu'un tas d'individus fabriquant des pointes de flèches. Ils devinrent un groupe de gens qui voulaient faire du bon travail ensemble et qui étaient réunis par cette mystérieuse énergie appelée...

Zapp !

Pendant ce temps, en bas, dans l'Atelier des Tiges, en ce premier jour d'essai du Tour des Trois Clés, Arthur rencontrait en quelque sorte le problème inverse de celui de Jacques.

Arthur se trouva dans la position de celui qui reçoit les critiques. Il était là, à s'occuper de son travail, quand Natacha entra pour lui dire sa façon de penser.

Natacha travaillait à l'Etage des Plumes ; elle collait les plumes sur les tiges provenant de l'atelier du dessous.

Elle se dirigea directement vers Arthur, parce qu'il était le plus commode, et dit : "Ecoute, je deviens dingue et c'est entièrement de ta faute ! C'est de la folie ! Nous avons tellement de paquets de tiges de flèches là-haut que je ne peux même pas fermer la porte !"

Arthur n'avait pas beaucoup de patience pour ceux qui se plaignaient, surtout pour ceux qui semblaient dire que c'était de sa faute. En temps normal, Arthur l'aurait renvoyée en disant quelque chose comme "Ouais, ouais, je vais voir ce que je peux faire." Ou : "Si tu faisais un peu plus d'efforts, tu n'aurais pas ce problème." Ou il aurait pu simplement continuer à travailler en l'ignorant.

Mais ce jour-là il leva les yeux et lut la note qu'il avait écrite le soir d'avant, quand il parlait avec David du Tour des Trois Clés. Au milieu de la note, il était écrit...

---

2. Ecoutez et répondez avec empathie.

Par conséquent, au lieu d'ignorer Natacha et son mécontentement, Arthur interrompit son travail et se tourna vers elle.

Il écouta ce qu'elle était en train de dire et essaya véritablement de la comprendre. Ce n'était pas facile, parce qu'elle n'avait pas organisé sa pensée ; les mots et les phrases se bousculaient dans sa bouche.

Quand elle eut fini, Arthur essaya de résumer ce qu'il avait compris de ses propos : "Si je comprends bien, tu ne veux pas que toutes les tiges de flèches que nous produisons ici arrivent à ton étage au fur et à mesure que nous les terminons. Tu veux qu'elles arrivent quand tu en as besoin. C'est ça ?"

Oui, dans les faits, c'était ça. Mais la requête de Natacha allait bien plus loin.

Quand les gens essaient de communiquer, ils n'essaient pas seulement d'être compris dans les faits, ils veulent aussi une réponse émotionnelle appropriée de la part de la personne qui est supposée écouter.

En bref, ils veulent quelque chose que l'on appelle : *l'empathie.*

L'empathie, d'après ce qu'Arthur avait appris par David, le magicien, c'était le fait de comprendre et d'être sensible à ce qu'une autre personne avait vécu – même si cette personne ne communiquait pas ses pensées et ses sentiments de façon explicite.

Par conséquent Arthur dit à Natacha : "Tu as l'air d'être très angoissée et irritée par cette histoire. C'est un vrai problème pour toi, n'est-ce pas ?"

"Oui, en effet", dit Natacha. "Je me sens complètement débordée. Merci d'essayer de comprendre."

Zapp !

A la suite de l'effort qu'avait produit Arthur pour écouter et répondre avec empathie, un petit éclair de lumière apparut entre les deux employés.

Tout en haut de la Tour, ce jour-là, Isabelle avait aussi ses problèmes.

Les baguettes utilisées par les employés pour appliquer de la magie technique sur les flèches devaient être rechargées régulièrement. Mais Isabelle s'apercevait que les baguettes n'étaient pas systématiquement envoyées au rechargeur magique.

Il lui arriva plusieurs fois de prendre une baguette pour appliquer de la magie sur un nouveau paquet de flèches – et de s'apercevoir que la baguette était morte, toute sa charge magique épuisée.

Dans le passé, Isabelle se serait accommodée de ce problème, ou bien aurait essayé de le résoudre par elle-même.

Mais ce jour-là elle leva les yeux au-dessus de son bureau, et vit la note où elle avait résumé le Tour des Trois Clés du Magicien David. A la fin de la note, il était écrit...

**3. Demandez de l'aide et encouragez les gens
à s'impliquer.**

Par conséquent, plutôt que d'ignorer le problème ou de le résoudre toute seule, elle alla voir deux de ses collègues de magie, Zacharie et Christo.

"J'aurais besoin de votre aide pour quelque chose", dit-elle. "Je sais que nous avons tous un problème avec les baguettes qui ne sont pas systématiquement chargées. Je pensais donc que peut-être, si nous réfléchissions tous ensemble, nous pourrions trouver une solution..."

Zapp !

Isabelle demanda leur aide à Zacharie et Christo et réussit à les impliquer.

Bien sûr, les autres faiseurs-de-flèches n'étaient pas aveugles. Ils voyaient les éclairs de Zapp ! aussi bien que Jacques, Arthur, ou Isabelle.

Même si le Zapp ! avait été invisible, ils se seraient rendus compte qu'il y avait quelque chose de positif dans l'air : ils étaient conscients de se sentir mieux. Quoi qu'eût été ce

"Zapp !", cela devait avoir un grand pouvoir ; cela, ils en étaient sûrs.

Naturellement, ils étaient curieux. "Hé, comment tu fais ça ?" demandaient-ils.

Aussi, chaque fois qu'ils en avaient l'opportunité, les trois amis montraient à leurs collègues les principes du Tour des Trois Clés et leur apprenait à le faire. Et comme un nombre croissant de faiseurs-de-flèches dans la Tour numéro Deux apprirent à faire le Tour des Trois Clés, le pouvoir du Zapp ! se démultiplia.

Tour des Trois Clés

Pour effectuer le Tour des Trois Clés,
comportez-vous avec les autres
selon ces principes :

1. Ne blessez jamais quelqu'un dans son amour-propre, mais n'hésitez pas à féliciter.

2. Ecoutez et répondez avec empathie.

3. Demandez de l'aide et encouragez les gens à s'impliquer.

Une chose, surtout, était très appréciable dans le Tour des Trois Clés : on pouvait utiliser la troisième clé pour demander de l'aide, tout en étant assuré de ne pas perdre la face. Dans le passé, beaucoup de faiseurs-de-flèches avaient souvent hésité à demander de l'aide – que ce soit de la part du Patron ou de quelqu'un d'autre – parce que c'était considéré comme un signe de faiblesse.

Mais maintenant chacun savait que s'il demandait de l'aide, les autres employés répondraient en utilisant les deux premières clés. Quand les autres font attention à ne pas vous blesser dans votre amour-propre, quand ils vous écoutent et vous répondent avec empathie, vous n'avez aucune raison d'hésiter.

Zapp !

Bien sûr, tout le monde ne pensait pas toujours à utiliser ce tour de magie. Occasionnellement, il y avait encore des disputes et des ressentiments. Mais le tour était néanmoins suffisamment utilisé pour que les Zapps se mettent de plus en plus fréquemment à former des arcs d'énergie entre les faiseurs-de-flèches. Même quand deux employés n'étaient pas d'accord, le Tour des Trois Clés leur permettait de dépasser beaucoup plus vite leur colère et leur agressivité.

Les faiseurs-de-flèches de la Tour numéro Deux firent une chose particulièrement intelligente : ils utilisèrent le Tour des trois Clés dans leurs relations avec la Directrice. Arthur, Jacques et Isabelle furent les premiers à le faire, et d'autres s'y mirent progressivement.

Par exemple, quand la Directrice prenait une décision qui aidait les faiseurs-de-flèches à mieux gérer leur travail ou qui aplanissait les difficultés quotidiennes, ils lui en parlaient. Que ce soit individuellement ou à plusieurs, ils lui disaient : "Vous avez pris une bonne décision." ou "Vous avez eu raison de dire cela", et ils la félicitaient, en lui expliquant précisément ce qui les aidait dans ce qu'elle avait fait.

Zapp !

Voyez-vous, la Directrice avait besoin de se valoriser, au même titre que n'importe quel autre employé dans le château. Quand les employés faisaient attention de ne pas la blesser dans son amour-propre ou quand ils la félicitaient, la Directrice avait tendance à rendre la pareille.

Zapp !

Malheureusement, la Directrice ne réussissait pas très bien à communiquer ses pensées et ses inquiétudes, c'était une des raisons pour lesquelles ce patron n'était pas le meilleur patron du Monde Magique.

En utilisant la deuxième clé avec la Directrice, c'est-à-dire en écoutant et en répondant avec empathie, les faiseurs-de-flèches réussissaient pourtant à lui montrer qu'ils comprenaient pourquoi elle avait pris telle décision et pourquoi elle avait parlé à quelqu'un de telle façon – même quand ils n'étaient pas totalement d'accord avec ce qu'elle avait dit.

Un jour la Directrice arriva dans l'Atelier des Tiges et commença à tempêter parce qu'elle avait découvert, dans les déchets, des morceaux de bois destinés à la confection des tiges, et qui ne présentaient aucun défaut.

Son attitude hystérique énervait beaucoup Arthur Rénovetoi ; cependant il s'arrêta, écouta ce qu'elle était en train de dire, se mit un instant à sa place, et dit : "Oh là là, cela vous met dans un état nerveux incroyable, n'est-ce pas ?"

"C'est peu dire", répondit la Directrice.

Arthur réfléchit un instant et dit : "Vous savez, Patron, je ne vous ai jamais vu vous mettre dans un tel état pour une histoire comme celle-ci. Est-ce parce que vous subissez une forte pression pour que la Tour reste dans le budget cette année ?"

"Eh bien... oui. C'est exactement ça.", dit la Directrice. "Merci d'essayer de vous mettre à ma place."

Zapp !

Les employés utilisèrent tout naturellement la troisième clé en discutant avec la Directrice des solutions à envisager pour résoudre leurs problèmes.

Par exemple, Arthur et plusieurs faiseurs-de-tiges allèrent voir la Directrice et lui dirent : "Nous avons un problème avec le bois pour les tiges, et nous aimerions que vous nous aidiez à le résoudre."

"Bien sûr", dit la Directrice, "quel est ce problème ?"

"La raison pour laquelle vous avez trouvé dans les déchets des morceaux de bois destinés à la confection des tiges est que certains des ouvriers de la découpe nous ont donné des morceaux de bois avec des entailles au milieu. Ces morceaux de bois avaient l'air conforme au premier coup d'œil, mais en fait ils ne l'étaient pas. Nous aimerions donc que vous nous donniez votre avis sur ce qu'il conviendrait de faire..."

Zapp !

Il y avait une chose que les faiseurs de flèches appréciaient particulièrement quand ils utilisaient la troisième clé : ils ne demandaient pas à la Directrice de prendre le problème en main ni de le résoudre à leur place ; ils allaient chercher des idées et une assistance auprès d'elle pour mieux résoudre le problème par eux-mêmes.

Peut-être rêvez-vous parfois de laisser quelqu'un d'autre résoudre vos problèmes à votre place ; mais en faisant cela vous ratez quelque chose d'important. Vous n'avez pas la satisfaction d'être responsable. Vous passez à côté d'une victoire.

Les faiseurs-de-flèches, en utilisant la troisième clé, ob-
tenaient la participation de la Directrice, mais gardaient leur
fierté. Quand la solution du problème était trouvée, elle leur
appartenait à eux, non pas à elle. Ils avaient donc la fierté
d'avoir accompli quelque chose.

A la longue, il commença à se passer des choses surpre-
nantes tandis que les éclairs de Zapp ! circulaient dans le château. Pour parler d'abord des aspects pratiques, le travail devint plus facile, les gens s'entendirent de mieux en mieux. Ceci permit aux faiseurs-de-tiges, aux faiseurs-de-pointes et aux
employés de la Salle Magique d'effectuer plus de travail.
D'autre part, les petits problèmes dans chacune de ces zones se
résolvaient plus vite désormais – souvent sans qu'il soit nécessaire d'aller voir la Directrice.

En plus de cela, la journée de travail était toujours plus
agréable quand il y avait du Zapp ! dans l'air. En fait, certains
des employés finissaient même par être contents d'aller travailler.

Mais il commença également à se passer certaines
choses magiques. Un des phénomènes les plus étranges fut
cette apparition mystérieuse de clés en métal dans les poches
des employés.

"Qu'est-ce que c'est ?" demanda Isabelle aux autres, en
leur montrant une clé en bronze, une clé en argent, et une clé
en or – chacune avec un petit éclair dessus. "Je ne sais pas du
tout d'où elles viennent ni à quoi elles servent."

"Je ne sais pas non plus, mais j'ai les trois mêmes clés",
dit Jacques.

"Moi aussi", dit Arthur, en présentant les siennes. "Je les

ai essayées dans toutes les serrures de la Tour, et aucune ne rentrait."

"Je me demande si elles n'ont pas un rapport avec le tour de magie", suggéra Isabelle. "Si ce magicien, David, s'arrête à nouveau par ici, il faudra que nous lui demandions s'il sait à quoi elles servent."

Tout d'un coup, les trois amis eurent la même idée.

"Le coffre !" dirent-ils à l'unisson.

Il s'était écoulé un certain temps depuis la visite de David, et ils avaient presque oublié le coffre en bois qu'il leur avait laissé. Arthur l'avait gardé sous son établi.

Ensemble, ils se précipitèrent donc dans l'Atelier des Tiges, prirent le coffre, époussetèrent la sciure qui était tombée dessus, et l'examinèrent.

En effet, il y avait trois petits trous de serrures sur le devant.

"Qui doit l'ouvrir ?" demanda Isabelle.

"Il l'a donné à Arthur", dit Jacques. "Je crois qu'Arthur devrait essayer en premier."

Avec un haussement d'épaules, Arthur Rénovetoi sortit de sa poche les trois clés dont il avait été incapable précédemment de découvrir à quoi elles servaient.

Il inséra l'une après l'autre chacune des trois clés dans la serrure correspondante, et fit tourner chaque clé ; dès qu'une serrure s'ouvrait, la clé qui l'avait ouverte disparaissait. Mais quand Arthur ouvrit la troisième serrure, le couvercle du coffre fit un petit "clic !" et s'ouvrit légèrement.

Arthur souleva le couvercle, et une petite boule de lumière brillante flotta hors du coffre, dériva vers le plafond, rebondit plusieurs fois dessus, et commença à se répandre jusqu'à emplir la pièce d'une lumière faible mais chaude.

Extrêmement intrigué, Arthur scruta encore l'intérieur

du coffre, s'attendant à le trouver vide ; au lieu de cela il s'aperçut qu'il y avait un autre coffre en bois un peu plus petit.

Arthur retira ce petit coffre et le donna à Jacques. Jacques utilisa ses trois clés pour l'ouvrir. La même chose arriva. Une petite boule de lumière brillante se mit à flotter, puis commença à se répandre, donnant une lumière faible et chaude. A l'intérieur du petit coffre, il y avait un coffre encore plus petit. Jacques le retira et le donna à Isabelle.

Elle utilisa ses trois clés – et la même chose arriva encore une fois. Il y avait encore un autre coffre à ouvrir, mais ils n'avaient plus de clés.

"Qu'est-ce qu'on fait maintenant ?" demanda Isabelle.

"Voyons s'il n'y a pas une quatrième personne qui aurait une clé", suggéra Arthur.

"Je sais que mon assistant, Gilbert, a ses trois clés", dit Jacques.

Ils apportèrent donc le coffre fermé à Gilbert, qui l'ouvrit. Devinez quoi ? Une autre boule de lumière et un autre petit coffre fermé à clé étaient à l'intérieur.

"Quand trouverons-nous des diamants et des rubis ?" se plaignit Jacques.

A la place il y avait toujours une boule de lumière et encore un nouveau coffre, qu'ils donnaient à un autre faiseur-de-flèches qui avait gagné trois clés.

Quand ils ne trouvèrent plus personne qui ait les trois clés, ils apprirent le tour de magie à d'autres employés, rien que pour pouvoir ouvrir le coffre suivant. En fin de compte, tout le monde dans toute la Tour numéro Deux apprit le Tour des Trois Clés, même les colleurs-de-plumes et les attacheurs-de-ficelles.

A la stupéfaction de chacun, il y eut assez de coffres en bois pour continuer le processus à travers toute la Tour :

chaque fabricant-de-flèches eut son coffre... Jusqu'à ce que finalement on trouve un coffre avec quatre serrures.

Sur le couvercle du dernier coffre, il y avait une inscription qui disait : "A ouvrir par la Directrice".

Ils amenèrent ce coffre à la Directrice. Ils lui expliquèrent ce qui se passait. Puis ils lui apprirent, à elle, le Tour des Trois Clés.

Les jours suivants, comme la Directrice utilisait le tour de magie dans ses rapports avec les fabricants-de-flèches, elle reçut, elle aussi, une clé de bronze, une en argent et une en or.

Mais il y avait quatre serrures sur le coffre qui lui était réservé, et sans une quatrième clé, le coffre ne s'ouvrirait pas.

"Génial !" dit Jacques exaspéré. "Quelle perte de temps !"

"Je ne crois pas", dit Arthur. "Regarde autour de toi."

Cela s'était passé si progressivement que personne n'y avait fait attention au début. Mais toutes les petites boules de lumière brillantes s'étaient lentement ajoutées les unes aux autres et avaient rempli entièrement la Tour, devenant plus brillantes et plus fortes au fûr et à mesure qu'elles s'étaient fondues les unes avec les autres. L'obscurité, la tristesse et le brouillard qui avaient longtemps accompagné les faiseurs-de-flèches dans la Tour numéro Deux avaient commencé à se dissiper partiellement. A l'intérieur, c'était comme si le jour avait succédé à la nuit.

"Tu as raison !" dit Isabelle. "Cela a complètement changé ! Ce n'est plus gris. Tout a changé ! C'est..."

"ROSE !" dit Jacques.

8

Pour autant que quiconque eût pu s'en souvenir, c'était la première fois que la Tour numéro Deux était d'une autre couleur que grise. Et à l'exception peut-être de Jacques, qui n'adorait pas le rose, tout le monde dans la Tour numéro Deux trouvait la nouvelle couleur merveilleuse. Jacques dût admettre quand même qu'après avoir vu tout en gris pendant tant d'années, le rose n'était pas si mal.

Heureusement pour Jacques et d'autres "durs" dans la Tour, le rose évolua. Il devint rouge. Un rouge plus profond, plus lumineux, plein d'énergie et de promesses. C'était le rouge de l'aube se levant sur un jour nouveau.

Un seul problème se posait, le même qu'avant :

Le nombre total de Flèches Magiques produites par la Tour numéro Deux restait toujours à peu près le même.

Même le Tour des Trois Clés n'avait pas changé cet état de fait. La production n'avait pas augmenté.

Pendant ce temps, à l'horizon, les dragons faisaient des cercles dans le ciel. Ils ne gardaient plus leur distance par rapport au château, comme dans le passé ; désormais on pouvait voir les bêtes écailleuses par n'importe quelle fenêtre de n'importe quelle tour.

A chaque heure du jour et de la nuit, les trompettes retentissaient sur les remparts, sonnant l'alarme pour que les chevaliers sautent sur leur cheval et se précipitent à la rescousse.

Finalement il fut confirmé qu'à Malronne, les descentes de Dragons étaient devenues plus fréquentes qu'elles ne l'avaient jamais été. C'était dû à plusieurs choses. D'une part la date redoutée de la Lune du Dragon approchait. Mais surtout, les autres châteaux étaient devenus tellement plus efficaces dans le combat de dragons qu'un nombre croissant de monstres venaient à Malronne, où les attaques étaient relativement faciles.

Les nouvelles s'aggravèrent.

Certains bruits disaient que le Château Colossal offrait trois mois de protection gratuite contre les dragons pour tous les nouveaux arrivants.

A l'Ouest, le château du Comte Discount offrait des prix qui se situaient 10 pour cent au-dessous de ceux du Château de Malronne, sans compter les coupons de remboursement !

En des temps meilleurs, le Roi de Malronne aurait peut-être pu éviter tous ces problèmes graves, ou les aurait résolus. Mais à présent le château ne pouvait plus faire face à la situation parce qu'il n'y avait plus d'or.

Un matin, un des crieurs du château traversa chacune des tours en criant :"Message important de la part du Roi : Faites plus d'efforts ! Travaillez plus intelligemment ! Faites mieux ! Message important du Roi... !"

"Qu'est-ce que cela signifie ?" demanda Jacques.

"C'est le *Nouveau* Plan d'Amélioration Rapide *Amélioré*", dit Isabelle.

"Génial", dit Arthur. "Pourquoi n'allons-nous pas tout simplement trouver les dragons pour leur demander de partir ?"

"Mais tu ne peux pas prétendre que le Tour des Trois Clés ait eu beaucoup plus d'effet", répliqua Jacques.

"Qu'est-ce que tu veux dire ? Bien sûr que si, il a eu un effet ! Tout le monde est Zappé ! Nous sommes tous chargés à bloc, la Tour entière est d'un joli rouge tirant sur le rose, et nous ne nous sommes jamais aussi bien entendus avec la Directrice !" dit Arthur.

"C'est vrai", dit Jacques, "mais pour dire toute la vérité sur cette affaire, aujourd'hui nous ne produisons pas plus de Flèches Magiques qu'avant."

Et ils savaient qu'il y avait de grandes chances pour que ce soit vrai : le compte d'Isabelle en flèches terminées, en haut de la Tour, n'avait toujours pas augmenté, même si elle et les autres employés de la Salle Magique terminaient leur travail bien avant l'heure de la sortie chaque après-midi. Simplement, le nombre de flèches provenant des étages inférieurs n'avait pas augmenté.

"Mais attends, j'ai une idée", dit Isabelle. "Utilisons le Tour des Trois Clés pour impliquer tout le monde dans ce projet."

"Pour impliquer tout le monde ?"

"Oui, impliquer les autres dans notre projet d'atteindre l'objectif que nous nous sommes fixés : doubler le nombre de flèches pour les chevaliers", dit-elle.

"Nous utiliserons la troisième clé du Tour des Trois Clés. Nous leur demanderons de nous aider, et nous les impliquerons dans les décisions. De cette façon, nous pourrons travailler à résoudre les problèmes non seulement localement dans nos propres petites zones de travail, mais à travers l'ensemble de la Tour. Peut-être que nous trouverons des solutions pour faire augmenter plus vite la production des flèches."

"Bonne idée", dit Arthur.

Puisque c'était son idée, Isabelle fut celle qui alla voir la Directrice pour obtenir la permission d'organiser la grande réunion.

Très excitée, elle se précipita dans le bureau de la Directrice et lâcha étourdiment : "Devinez quoi ! J'ai eu une idée géniale ! Avec tous ceux de la Tour, nous allons prendre une journée de congé, nous irons quelque part tous ensemble et nous discuterons de tous nos problèmes !"

Ensuite, s'attendant à ce que la Directrice saute de joie et dise "Oui ! Oui ! Faites ça ! Prenez un jour de congé !", Isabelle continua à décrire dans les moindres détails les rafraîchissements qu'elle avait prévus pour la réunion. Elle en était au milieu de sa recette pour le punch aux fruits quand elle remarqua que la Directrice n'était pas en train de sauter de joie, mais secouait la tête.

"Je ne crois pas", dit la Directrice.

"Mais, mais... comment pouvez-vous dire non à une si bonne idée ?"

"Désolée, mais je viens de le faire", dit la Directrice.

Isabelle était démontée. Elle courut en haut de la Tour pour bouder, refusant de parler à quiconque jusqu'à la fin de la journée.

"As-tu appris pour Isabelle ?" demanda Jacques.

"Non, quoi ?" demanda Arthur.

"Son idée n'a pas plu à la Directrice."

"Mince, c'est dommage. Moi je trouvais que c'était une très bonne idée", dit Arthur.

"Oui, moi aussi", dit Jacques. "Mais je crois qu'on peut l'oublier."

Par habitude maintenant, Arthur Rénovetoi essayait encore d'améliorer son travail et son espace de travail. Il avait trouvé une nouvelle idée, mais il avait besoin de plus d'espace pour l'appliquer. Alors qu'il réfléchissait sur les choses dont il pourrait se débarrasser pour faire de la place, son regard tomba sur le premier coffre en bois que David le Magicien leur avait donné.

Après l'avoir ouvert, Arthur avait gardé le coffre parce qu'il n'avait aucune raison de le jeter. Mais maintenant il réalisait que le coffre prenait presque une étagère entière, et il décida de le jeter.

Il le prit, le porta jusqu'à la poubelle, allait le jeter, et – par habitude – vérifia s'il était bien vide.

Il ne l'était pas.

Tout au fond, passé inaperçu quelques jours auparavant dans l'empressement à retirer le plus petit coffre, il y avait un petit livre poussiéreux aux pages cornées, avec un éclair sur la couverture, portant le titre :

Le Livre de Magie du Magicien Zapp!

(Version Abrégée)

Quelques instants plus tard, Arthur enjamba quatre à quatre les marches de l'escalier vers le sommet de la Tour, fit irruption dans la Salle Magique, et dit : "Hé, Isabelle, viens voir !"

Encore déprimée, Isabelle prétendit qu'elle n'était pas intéressée.

"Je sais que tu es encore sens dessus-dessous", dit Arthur, "mais écoute... J'ai trouvé de la magie qui va t'aider à faire accepter tes idées."

Il lui montra la page qu'il avait lue.

**Préparation magique pour inciter un patron
à dire oui quand vous lui soumettez une idée**

Commencez par : 1 Bonne idée

Ajoutez-y les réponses adéquates à ce qui suit :

• Quels sont les valeurs ou les objectifs organisationnels que mes idées supportent ?

• Quels sont les avantages et les inconvénients (le coût, par exemple) de mon idée ?

• Qu'est-ce qui motivera le Patron à dire "oui" ?

• Quelles seront probablement les objections du Patron ?

• Que puis-je répondre si le Patron formule ces objections ?

• Quelles sont les autres alternatives possibles si le Patron ne veut pas acheter mon idée "telle quelle" ?

Utilisez les Zapps du Tour des Trois clés autant que nécessaire.

Isabelle étudia donc cette page du *Livre de Magie du Magicien Zapp !*, puis retourna voir la Directrice et lui présenta de nouveau sa suggestion.

Cette fois elle prit garde à inclure l'objectif de la Tour numéro Deux et l'avantage probable qu'amènerait ce qui serait accompli (plus de flèches) et le prix à prévoir (quelques heures de travail en moins). Elle fit attention également à s'en tenir aux points essentiels de son idée et de ne pas se laisser entraîner dans des détails qui n'intéressaient probablement pas la Directrice (comme les rafraîchissements).

Cependant la Directrice dit encore : "Non".

Isabelle insista et demanda à la Directrice si elle voulait bien formuler ses objections.

"Mon inquiétude", dit la Directrice, "c'est que si tous les employés passent leur temps en réunion, personne ne travaillera à la fabrication des flèches."

Isabelle avait prévu que la Directrice dirait probablement quelque chose de ce genre. Elle utilisa donc la seconde clé du Tour des Trois Clés. Elle écouta, puis répondit avec empathie.

"Patron, nous savons que vous êtes très inquiète à propos de la quantité de travail effectuée", dit Isabelle, "et nous le sommes aussi" (*Zapp !*). "Toute l'idée de cette réunion est d'effectuer plus de travail dans le long-terme. Mais nous ne pouvons atteindre cet objectif si vous ne nous donnez pas le temps de résoudre les problèmes."

Elle voyait que la Directrice reconsidérait la question. "Mais pourquoi est-ce nécessaire que tous les fabricants-de-flèches de toute la Tour participent à cette réunion ?"

"Parce qu'il faut que tout le monde sache qu'il a un rôle à jouer dans ce projet", dit Isabelle. "Pour que l'ensemble de la Tour progresse, il faut que tout le monde soit motivé, pas seulement quelques individus."

"D'accord, j'achète", dit la Directrice, "mais les colleurs-de-plumes et les attacheurs-de-ficelles sont très en retard dans leur travail. S'ils quittent leur poste pour une réunion, cela signifie qu'il y aura moins de flèches."

"Si nous pouvons résoudre les problèmes qui nous freinent, vous verrez que l'augmentation de la production rattrapera largement le temps perdu."

"Très bien, mais si vous avez trop de personnes dans la réunion", dit la Directrice, "cela sera très difficile à gérer pour vous."

"C'est vrai. Dans ce cas, pourquoi ne pas organiser une première réunion avec les représentants de chaque groupe de travail dans la Tour ?" suggéra Isabelle, utilisant une de ses alternatives préparées à l'avance.

"Bien. Cela me plaît", dit la Directrice.

Et elle approuva l'idée d'Isabelle.

Le lendemain, des gens provenant des cinq étapes de fabrication des flèches s'assirent tous autour de la même table pour s'attaquer aux problèmes qui les ralentissaient.

Arthur représentait les fabricants-de-tiges et Jacques les fabricants-de-pointes. Pour l'Etage des Plumes il y avait Natacha. Un vieil homme de petite taille, appelé Lacrampe, venait de l'Attachage des Ficelles.

"Nous savons que vous êtes tous des ouvriers sérieux", dit Isabelle, utilisant la première clé du Tour des Trois Clés ; puis utilisant la troisième clé : "Et par conséquent nous aimerions avoir votre aide pour résoudre certains problèmes."

Zapp !

Bien sûr, Lacrampe et Natacha sautèrent sur l'occasion.

"Je vais vous dire quel est le premier problème que nous devons résoudre", dit Natacha. "Le manque de place !"

"Je ne vous le fais pas dire", dit Lacrampe. "Là-haut, à l'Attachage des Ficelles, j'ai à peine assez de place pour me retourner ! Tout ça parce qu'en bas, à l'Atelier des Tiges et à l'Atelier des Pointes, vous êtes devenus des drogués du travail ! Vous fabriquez trop de tiges et de pointes pour que nous puissions suivre !"

"C'est vrai", dit Natacha. "Et je voudrais savoir ce que vous comptez faire à ce sujet."

Isabelle, Jacques et Arthur se regardèrent l'un après l'autre, se demandant dans quel pétrin ils s'étaient mis. Cela s'annonçait déjà assez mal.

"Je vais vous dire ce dont nous avons besoin", dit Lacrampe. "Nous avons besoin d'une grande salle de stockage. Ainsi nous pourrons prendre l'ensemble des pointes et des tiges qui sont en trop et les transporter dans cette salle, jusqu'à ce que nous ayons le temps de nous en occuper."

"Les grands esprits se rencontrent, Lacrampe", dit Natacha. "C'était exactement ce que j'allais suggérer."

Quelques semaines plus tard, les faiseurs-de-flèches avaient élaboré des plans très étudiés pour fabriquer la plus grande salle de stockage qui ait jamais existé dans toute l'histoire du Château de Malronne. Ils avaient réfléchi à tout : combien cette salle contiendrait de pièces détachées, combien de torches il faudrait pour l'éclairer, combien de murs il faudrait abattre pour faire de la place, ils avaient même compté combien de marteaux et de burins seraient nécessaires à la démolition des murs.

Ils présentèrent ce projet à la Directrice.

Elle sortit complètement de ses gonds. Sa colère et son exaspération étaient telles qu'elle en oublia tout ce qui concernait le Tour des Trois Clés, et hurla :

"Vous avez passé tout ce temps et fait tous ces efforts... *pour une salle de stockage* ?! Comment une *salle de stockage* va-t-elle nous aider à fabriquer ne serait-ce qu'une Flèche Magique de plus pour les chevaliers ?"

Et au même moment, la lumière chaude et rosée de la Tour numéro Deux commença à pâlir, et à tendre de nouveau vers le gris.

Très vite, cependant, la Directrice changea de ton. En effet, elle avait sur son bureau une lettre du Duc des Flèches adressée à tous les directeurs des Tours de fabrication.

"La Lune du Dragon approche", disait la lettre du duc. "Où en êtes-vous par rapport à l'amélioration de 10 pour cent qui vous a été demandée ?"

La Directrice jeta les yeux sur son calendrier marquant les étapes du Plan d'Amélioration Rapide, et en effet la date entourée, celle de la Lune du Dragon, n'était plus très éloignée. Le vrai problème était le suivant : toute seule, elle ne pouvait pas satisfaire la demande exprimée par le duc.

Peut-être que je devrais leur donner une deuxième chance, se dit-elle. De nos jours un patron a besoin de l'aide de tout le monde.

Ce même jour, la Directrice rappela les cinq employés et leur parla.

Bien que vous soyez partis sur une mauvaise piste et que vous ayez perdu du temps, j'aimerais quand-même que vous m'aidiez à résoudre le problème de l'accumulation des flèches non terminées", dit la Directrice. "Cette fois, bien que je sois très occupée, j'essaierai de rester plus en contact avec vous."

Ce fut un soulagement pour les fabricants-de-flèches... mais pas tant que ça.

Tard dans l'après-midi, Arthur, Jacques et Isabelle se réunirent pour discuter de ce qu'ils allaient faire.

"Ce qu'elle a dit, je m'en fiche", déclara Jacques. "La prochaine fois nous vérifierons que la Directrice sait ce qui se passe. Je ne veux pas perdre mon temps – notre temps – une deuxième fois comme ça."

"Personnellement, il y quelque chose qui m'inquiète plus", dit Isabelle, "c'est que nous ayons pu si facilement partir sur une mauvaise piste."

"Tu veux savoir ce qui s'est passé ? Nous n'avons jamais analysé le problème", dit Jacques. "Nous avons vu un symptôme et nous nous sommes jetés sur une solution, avant même de définir le vrai problème !" Puis il ajouta : "Evidemment je le savais depuis le début."

"Tu le savais depuis le début ? Mais alors pourquoi n'as-tu rien dit !" s'exclama Isabelle.

Jacques baissa la tête. "Je ne voulais pas les blesser... je veux dire Lacrampe et Natacha. Si je leur avais dit que leur idée de salle de stockage était nulle, ils auraient pu se vexer, et j'avais peur que nous ne réussissions jamais à les faire coopérer pour résoudre le problème principal. J'ai donc laissé faire."

"La prochaine fois, Jacques, exprime-toi", dit Isabelle. "Mais ne leur dis pas que leur idée est nulle. Utilise les deux premières clés du Tour des Trois Clés pour leur dire la vérité sans qu'ils se sentent insultés."

"Ouais, ouais, je sais", dit Jacques. "Mais en supposant qu'il y ait une prochaine fois, comment ferons-nous pour régler le problème principal ?".

Il se tourna vers Arthur. "Qu'est-ce que tu en penses, Arthur ? Tu n'as pas dit un mot pour l'instant."

Arthur Rénovetoi était plongé dans *Livre de Magie du Magicien Zapp !*, et leva à peine les yeux.

"Hé, Arthur, lève ton nez de ce livre", dit Jacques, "et ai-de-nous à réfléchir sur ce que nous allons faire."

"Attendez une minute, je l'ai trouvé !"

"Tu as trouvé quoi ?"

"Je savais qu'il y aurait un tour de magie pour ça", dit Arthur. "Cela s'appelle Le Tour de l'ACTION pour résoudre les problèmes et mettre-en-place des solutions. Nous allons effectuer ce tour de magie et la prochaine fois nous ne partirons pas sur une mauvaise piste.

Les fabricants-de-flèches firent donc un nouvel effort.

Le Livre de Magie du Magicien Zapp !

Le Tour de l'ACTION

A utiliser pour résoudre les problèmes
et mettre en place des solutions pour effectuer
le Tour de l'ACTION

1. Analysez la situation et définissez le problème.
2. Déterminez les causes
3. Tendez vers des solutions et développez des idées.
4. Appliquez ces idées.
5. Vérifiez qu'ON (le reste des employés) suit bien le plan proposé, dans la durée.

IMPORTANT : Faites attention d'*impliquer les autres* à chaque fois que vous effectuez une étape de ce Tour de Magie !

Cette fois quand ils se réunirent tous autour de la même table, ils utilisèrent le Tour de l'ACTION. Jacques commença, en effectuant la première partie du tour magie.

Il dit : "Avant tout, analysons la situation et définissons le problème." Puis il impliqua les autres en leur demandant de faire part de leurs observations.

"La situation, telle que je la vois," dit Arthur, "c'est que les pointes et les tiges s'empilent à l'Etage des Plumes et à l'Attachage des Ficelles parce que ces étapes sont trop longues."

"Hé, ce n'est pas de notre faute !" dit Natacha, sur la défensive.

"Nous n'avons accusé personne", dit Isabelle, évitant de blesser Natacha dans son amour-propre (*Zapp !*). "Nous voulons simplement comprendre ce qui se passe exactement."

"Le résultat", dit Arthur, "c'est que la Tour numéro Deux est incapable de fournir suffisamment de Flèches Magiques pour les chevaliers, alors qu'ils en ont un besoin urgent pour vaincre les dragons."

Après un temps de discussion, ils admirent tous que c'était le fond du problème.

"Réfléchissons maintenant à la cause de ce problème", dit Arthur.

Ils évoquèrent les causes possibles et admirent finalement que les fabricants-de-tiges et les fabricants-de-pointes avaient augmenté leur débit, mais que jusqu'à présent les attacheurs-de-ficelle et les colleurs-de-plumes n'avaient pas fait les mêmes progrès, et par conséquent que ces deux étapes constituaient un goulot d'étranglement.

Maintenant qu'ils avaient franchi la seconde étape du Tour de l'ACTION, puisqu'ils avaient déterminé les causes, ils passèrent à la troisième étape.

Isabelle déclara donc : "Essayons de trouver une solution en développant des idées."

"Maintenant, nous sommes tous conscients qu'à l'Attachage des Ficelles et au Collage de Plumes, tout le monde travaille dur", dit Arthur, qui ne voulait pas vexer Lacrampe ou Natacha (*Zapp !*), "mais nous devons trouver une solution ingénieuse pour régler ce problème. Est-ce que vous avez des idées ?"

A ce moment-là, cela se compliqua un peu.

Natacha pensait avoir trouvé une idée géniale pour résoudre le problème. "Arrêtez de nous envoyer tant de travail supplémentaire ! Nous ne pouvons pas tout faire ! Il faudrait que les fabricants-de-pointes et les fabricants-de-tiges fassent machine arrière !"

Pour répondre à cela, Jacques utilisa la seconde des Trois Clés. Il l'écouta, puis dit (avec empathie), "Je sais, Natacha, tu aimerais que les choses redeviennent comme avant. Nous aimerions tous revenir en arrière, de temps en temps. Seulement, c'est impossible. Si nous ne réussissons pas à fabriquer plus de Flèches Magiques, nous aurons tous de sérieux problèmes."

Sur ce, Lacrampe s'exprima. "Je vais vous dire ce dont nous avons besoin : il nous faut plus de bras ! Plus de bras pour l'attachage et plus de bras pour le collage ! C'est aussi simple que ça."

Bien sûr, ce n'était pas si simple que ça... mais encore une fois les cinq employés s'enthousiasmèrent. Ils interrompirent la réunion, allèrent voir la Directrice et lui demandèrent ce qu'elle pensait de l'idée de Lacrampe.

"Ecoutez, croyez-moi, j'embaucherais plus de gens si je pouvais le faire", dit la Directrice. "Mais le Roi a fait passer un édit : aucune embauche tant que le Coffre au Trésor continuera à se vider. Et de toutes façons, si j'embauche plus de gens, nos coûts augmenteront, et si nos coûts augmentent, nos prix devront augmenter également. Cela ne nous aidera pas à convaincre les habitants de rester à Malronne."

Les fabricants-de-flèches durent donc réfléchir à d'autres solutions possibles. Arthur Rénovetoi réalisa alors que dans un sens, Natacha avait raison. La Tour dans son ensemble ne pouvait pas utiliser 100 pour cent de la production que les faiseurs-de-pointes et les faiseurs-de-tiges étaient maintenant capables d'effectuer.

Il fit part de cette réflexion à ses collègues et dit : "Pourquoi les faiseurs-de-pointes et les faiseurs-de-tiges n'iraient pas aider les attacheurs-de-ficelles et les colleurs-de-plumes pendant une partie de la journée, dès qu'il y aurait une accumulation de flèches non terminées ?"

Peut-être qu'il semble évident et logique de faire cela. Mais comme c'est si souvent le cas pour tout ce qui est évident et logique, c'était une énorme entorse aux règles habituellement suivies par les fabricants-de-flèches.

"Quoi ?! Comment ça, mais on n'a jamais vu ça !" dit Lacrampe. "L'attachage des ficelles est un art précis et ancien. Cela ne peut pas être effectué par... n'importe qui !"

"C'est encore plus vrai pour le collage de plumes", dit Natacha : "c'est un art encore plus précis et plus ancien."

"Dans ce cas pourquoi n'apprenez-vous pas au reste d'entre nous ces arts précis et anciens... assez tout au moins pour que nous puissions vous aider ?" suggéra Isabelle.

"Humm... Je n'avais pas pensé à ça", dit Lacrampe. L'idée le séduisait quelque peu.

"En fait, j'apprécierais d'avoir de l'aide", dit Natacha.

"Ecoutez, je ne sais pas. L'attachage de la ficelle est un travail extrêmement délicat", dit Lacrampe. Puis il réfléchit une minute. "D'un autre côté, si nous ne réglons pas ce problème, nous serons tous grillés. D'accord, pourquoi ne pas essayer."

Et c'est ce qu'ils décidèrent de faire. Cependant, pour éviter de renouveler l'expérience de la dernière fois, ils demandèrent l'avis de la Directrice avant d'aller plus loin.

"Je crois que c'est une bonne solution", dit la Directrice. Et elle leur proposa des idées.

Zapp !

C'était le moment d'effectuer la quatrième partie du Tour de l'ACTION : Appliquer l'Idée. Ils étudièrent un emploi-du-temps où les faiseurs de pointes et les faiseurs de tiges travailleraient six heures à leur poste habituel, et deux heures par jour soit à l'attachage de ficelles, soit au collage de plumes.

Puis ils se mirent d'accord sur la façon dont ils superviseraient le déroulement du projet et continueraient en même temps à chercher d'autres moyens de progresser. C'était la cinquième et dernière étape du Tour de l'ACTION : vérifier que le plan était bien suivi dans la durée.

Quand ils eurent terminé, ils se sentaient tous très bien. C'était la première fois que des fabricants-de-flèches de différentes zones s'étaient assis ensemble autour d'une table et avaient réfléchi à une solution pour régler un problème qui les concernait. C'était d'ailleurs une énorme responsabilité.

Zapp !

Quand Arthur, Jacques, Isabelle, Natacha et Lacrampe revinrent à la Tour numéro Deux, une autre couleur s'était ajoutée au rouge. Cette fois c'était de l'orange.

9

Pendant quelques jours, Arthur, Jacques et Isabelle pensèrent qu'ils avaient résolu le problème, et que désormais tout irait bien.

Mais il parut très vite évident qu'ils étaient les seuls dans la Tour à respecter leur emploi du temps pour aider les attacheurs-de-ficelles et les colleurs-de-plumes.

"Hé, ce n'est pas juste !" se plaignit Isabelle. "Qu'est-ce qui se passe avec les autres ? Pourquoi ne nous aident-ils pas ?"

Ni Arthur ni Jacques n'avaient de réponse.

"Nous devrions demander à la Directrice de crier un bon coup et d'*obliger* tout le monde à nous aider", dit Isabelle.

"Oui, mais tu sais ce qui arriverait", dit Arthur. "Au bout d'un jour ou deux la Directrice serait fatiguée de crier. Et dès qu'elle arrêterait de crier, ils arrêteraient de nous aider."

"Je ne comprends pas", dit Jacques. "A long-terme, ils ont intérêt à ce que cette solution fonctionne. Pourquoi ne participent-ils pas spontanément ?"

"Il doit y avoir quelque chose qui cloche dans le tour de magie", dit Isabelle. "Il ne produit aucun effet".

Arthur retourna donc dans son atelier et relut le Tour de l'ACTION.

"Le problème ne vient pas du tour de magie", leur dit Arthur. "Il vient de la manière dont nous l'effectuons."

"Pourquoi ? Où nous sommes-nous trompés ?" demanda Jacques.

"Souvenez-vous de ce qui s'est passé", dit Arthur. "Une fois que nous avons terminé l'emploi-du-temps, nous en avons remporté des copies dans nos ateliers et nous les avons accrochées au mur."

"Qu'est-ce qu'il y a de mal à ça ?"

"Nous n'avons pas impliqué les autres", dit Arthur. "Nous avons placardé un emploi-du-temps sur le mur en espérant que tous les autres le respecteraient. Ce n'est pas comme ça qu'on effectue ce tour de magie. C'était notre solution et notre emploi-du-temps, pas les leurs. Je crois que c'est pour cette raison qu'ils ne participent pas."

"Qu'est-ce que cela veut dire concrètement ?" demanda Isabelle. "Devons-nous tout recommencer ?"

"Non, mais par contre nous devons les impliquer d'une manière ou d'une autre", dit Arthur.

Ils allèrent donc voir de nouveau chacun des groupes de fabricants-de-flèches. Ils demandèrent de l'aide et firent en sorte que chaque fabricant-de-flèches trouve son *propre* moyen d'appliquer la solution, et qu'il élabore son *propre* emploi-du-temps.

Cette fois le tour de magie produisit un résultat. Les gens commencèrent à participer.

Zapp !

Pendant une semaine les paquets de tiges et les baquets de pointes de flèches se désempilèrent progressivement. Isabelle dut même passer son tour à l'Attachage des Ficelles parce qu'elle et les autres employés de la Salle Magique avaient maintenant assez de travail pour rester occupés une grande partie de la journée.

Mais en l'espace de deux semaines, les paquets et les baquets formèrent de nouveaux tas.

Un jour Arthur remarqua que son ami Jacques, qui était supposé passer deux heures tous les après-midi à l'Attachage des Ficelles, ne venait pas. Et, contrairement à Isabelle, Jacques n'avait aucune bonne raison de ne pas être là.

Arthur alla donc voir Jacques, et lui dit : "Qu'est-ce qui se passe ? Tu n'es pas venu à l'heure où tu étais planifié."

"Ecoute, j'ai un doigt endolori, je me suis donné un coup de marteau", dit Jacques. "Tu ne penses quand même pas que je vais attacher des ficelles en ayant mal au doigt?"

Arthur admit que c'était une bonne excuse. Mais par la suite il sembla que le doigt de Jacques ne guérissait pas. Bientôt tous les faiseurs-de-pointes eurent mal à un doigt.

Puis Arthur découvrit que des maux similaires affectaient les faiseurs-de-tiges. Ils n'arrêtaient pas de se couper avec des éclats de bois, mais seulement les jours où ils étaient supposés aider les colleurs-de-plumes. Jamais à d'autres moments.

"Très bien Jacques, qu'est-ce qui se passe ?" lui demanda un jour Arthur, au déjeuner. "Comment se fait-il que toi et les autres faiseurs-de-pointes n'aidiez pas les attacheurs-de-ficelles ?"

"Je te l'ai déjà dit, nous avons tous mal à un doigt !"

"Non, il y a une autre raison que celle-là", dit Arthur.

"Bon, d'accord, je l'avoue. Je n'aime pas travailler à l'attachage des ficelles."

"Pourquoi ?"

"Ecoute, je suis un fabricant-de-pointes, par un attacheur-de-ficelles !" explosa Jacques. "Je suis payé pour façonner des pointes de flèches, pas pour bricoler avec des ficelles ! L'attachage des ficelles est le travail le plus monotone, le plus ennuyeux que j'aie jamais fait ! Et les attacheurs-de-ficelles sont les gens les plus monotones et les plus ennuyeux que j'aie jamais rencontrés dans le travail !"

"Mais, Jacques", dit Isabelle, "Nous sommes *d'abord* des fabricants-de-flèches ; notre spécialisation dans les pointes, les tiges ou les ficelles est secondaire. Ne réalises-tu pas combien il est important d'aider les autres ?"

"Bien sûr, mais tu as travaillé à l'Etage des Ficelles", dit Jacques. "Est-ce que cela t'a plu ?"

"Non, j'ai détesté chaque minute de ce travail", admit Isabelle.

"Pourquoi donc ?" demanda Arthur.

"Pour une raison bien simple : tous les attacheurs-de-ficelles me faisaient sentir que j'étais bête parce que je ne savais pas comment faire."

"Ouais, et le pire de tous, c'est ce vieux type, Lacrampe", dit Jacques. "Il est tellement aigri qu'il attend qu'on fasse une erreur pour avoir l'air bon."

"En fait", dit Arthur, "Je peux vous dire que ce n'est pas mieux à l'Etage des Plumes. Si Natacha me dit encore une fois que j'ai collé les plumes du mauvais côté, je sens que...". Il secoua la tête, s'enfonça dans son siège, et émit un soupir d'écœurement.

"Cela me rend fou", dit Jacques. "Nous voilà en train de les aider et ils ne nous *soutiendraient* pas d'un pouce !"

Arthur se redressa à nouveau. "Qu'est-ce que tu as dit ?"

"J'ai dit qu'ils ne nous soutiendraient pas d'un pouce."

"Mais oui !" dit Arthur. "Je reviens tout de suite !" Il se leva et partit.

Il revint en feuilletant les pages du Livre de Magie du Magicien Zapp ! .

"Voilà", dit-il. "Je savais que j'avais vu quelque chose là-dedans à propos de ça."

"A propos de quoi ?"

"Du soutien !" dit Arthur. "Regarde, c'est là. "Le Tour Supérieur du Soutien"."

Jacques et Isabelle scrutèrent par-dessus l'épaule d'Arthur.

"Cela semble beaucoup plus compliqué que les autres tours de magie", dit Isabelle.

"Pas vraiment", dit Arthur. "Mais comme c'est un Tour Supérieur, il est composé de trois tours de magie qui agissent ensemble."

"Essayons-le", dit Jacques. "Qu'avons-nous à perdre ?"

Le Livre de Magie du Magicien Zapp !

Le Tour supérieur du Soutien

Tour n° 1 : le Tour de l'Enseignement.
Tour n° 2 : le Tour de la Correction par
l'Appréciation
Tour n° 3 : le Tour de l'Encouragement

Le lendemain matin, Arthur et Jacques allèrent voir Lacrampe dans la salle d'Attachage des Ficelles.

"Dis-moi, Lacrampe, j'ai entendu dire qu'à ton époque tu étais le meilleur joueur de ballon du Château", dit Arthur. "C'est vrai ?"

Lacrampe s'illumina immédiatement au compliment ; il semblait se souvenir avec plaisir de cette époque. Il dit : "Tu parles. Personne ne pouvait me battre."

"Sans rire ?" dit Arthur. "Dis-moi, comment as-tu réussi à devenir si bon ?"

"Le talent naturel, bien sûr", dit Lacrampe, qui n'était pas réputé pour sa modestie.

"Je suis sûr que cela a compté", dit Arthur, mais comment as-tu développé ce talent ?"

"Eh bien... par la pratique. Et j'avais quelques bons professeurs, entre autres mon propre papi."

"Lacrampe, je crois que tu viens de nous remettre sur la bonne voie."

"Vraiment ? Comment ça ?"

"Je viens de réaliser que nous avions besoin de ton aide" (*Zapp !*). "Nous aimerions que tu sois le professeur principal de Jacques et des fabricants-de-pointes dans l'art délicat de l'attachage des ficelles."

"C'est vrai ?"

Sur ce, Jacques se racla la gorge et dit : "Excuse-moi, Arthur, mais il faut que j'aie une petite discussion avec toi. En privé."

Ils allèrent à l'autre bout de la Tour et Jacques dit : "Ecoute, Arthur, ce type connaît son métier, mais ce n'est pas un professeur. C'est principalement à cause de lui que personne ne veut participer."

"J'en suis conscient", dit Arthur. "C'est pourquoi je vais essayer d'apprendre à Lacrampe comment être un bon professeur."

Lacrampe était enthousiasmé par l'idée d'être le professeur des autres fabricants-de-flèches. Il commença tout de suite.

"Bon, vous voulez un professeur ? Très bien. Asseyez-vous, taisez-vous, et je vais vous dire ce que vous devez faire", dit-il. "Voilà, la première chose dont vous devez vous rappeler pour bien faire ce métier..."

"Excuse-moi, Lacrampe", dit Arthur. "Je suis content que tu acceptes de si bon cœur le rôle de professeur ; mais dans ce petit livre il est écrit que la première condition pour être un bon professeur, c'est de ne pas sermonner les gens ni de leur dire ce qu'ils doivent faire, mais au contraire de leur poser des questions."

"Vraiment ? Fais-moi voir ça."

Le Livre de Magie du Magicien Zapp !

Le Tour de l'Enseignement
Partie 1

Ce tour doit être utilisé par les gens expérimentés
quand des gens inexpérimentés commencent
un nouveau travail avec de nouvelles difficultés

1. Posez des questions.

2. Ecoutez pour mieux comprendre.

3. Partagez vos connaissances et votre expérience.

L'Enseignement tel qu'il était décrit ici était très différent de ce que Lacrampe avait imaginé, même s'il n'avait pas beaucoup réfléchi. à ce sujet. Il croyait que le principe de l'Enseignement était de faire un discours, d'observer sévèrement l'autre personne jusqu'à ce qu'elle fasse une erreur, de dénoncer l'erreur de cette personne, puis d'aboyer des instructions et attendre que la personne fasse une autre erreur.

Mais avec l'aide d'Arthur Rénovetoi, Lacrampe apprit le Tour de l'Enseignement. Malgré son âge et son mauvais caractère, Lacrampe était capable d'apprendre vite, et en peu de temps il fut un assez bon professeur.

Une fois qu'il eut appris à effectuer le Tour de l'Enseignement, Lacrampe commença à poser des questions et à écouter. Cette attitude lui permit de découvrir ce que les autres savaient et ce qu'ils ne savaient pas. Plutôt que d'attendre une erreur pour s'en apercevoir, il était capable d'aider les gens au préalable et d'éviter beaucoup de gâchis. Et comme personne n'aime faire du gâchis, les autres fabricants-de-flèches qui recevaient l'enseignement aimaient bien mieux cette nouvelle approche.

Grâce au Tour de l'Enseignement, Lacrampe découvrit aussi qu'il était souvent préférable de poser une question plutôt que de donner directement la réponse.

"Pourquoi penses-tu qu'il est si important de faire deux tours de ficelle ?" demandait-il. Ou "Qu'est-ce qui se passerait si nous ne plongions pas la ficelle dans cette potion spéciale ?"

Quand Jacques ou un des autres faiseurs-de-flèches trouvait la réponse tout seul, c'était SA réponse, pas celle de Lacrampe. Et comme c'était SA réponse, Jacques avait tendance à s'en souvenir plus longtemps et à lui faire une place dans son esprit, comme il aurait fait une place dans sa maison pour un objet de valeur lui appartenant.

Quand Lacrampe écoutait l'autre personne répondre à une question, au lieu de donner lui-même la bonne réponse, il pouvait déterminer si Jacques et les autres ne faisaient que reproduire des mouvements, ou s'ils comprenaient réellement ce qu'ils étaient en train de faire.

En posant des questions et en écoutant, Lacrampe était capable de savoir ce dont l'autre personne avait réellement besoin ; il lui suffisait ensuite de puiser dans sa propre expérience et de partager son savoir ou de donner le conseil approprié.

Maintenant qu'il était professeur, Lacrampe devait partager une grande quantité de choses qu'il avait jusqu'à présent gardées dans sa tête. Il donnait parfois des informations : "Il y a trente-trois mètres de ficelle dans une bobine."

Quelquefois c'était des connaissances particulières : "Nous utilisons cette potion spéciale pour rendre la ficelle in-inflammable."

Quelquefois c'était un conseil : "Si tu te tiens un peu plus de côté, comme ça, ton bras se fatiguera moins vite."

Quelquefois c'était une histoire : "La raison pour laquelle je sais qu'il faut faire deux tours de ficelle, c'est que jadis le Grand Seigneur Robert, que vous n'avez pas pu connaître, vint me voir et dit : "Hé, petit, toutes les pointes de flèches se sont détachées !". Alors j'ai jeté un coup d'œil et...

A force de poser des questions, d'écouter, et de donner à chacun les informations dont il avait besoin, Lacrampe transforma Jacques et les autres en attacheurs-de-ficelles compétents. Comme ils devenaient compétents, ils ne se sentaient plus stupides et cela ne les gênait plus de faire leurs heures à cet étage. C'était même tout à fait le contraire : en maîtrisant un nouveau métier, Jacques et les autres avaient l'impression d'avoir plus de contrôle sur les choses, et d'être plus forts.

Zapp !

Mais il y avait encore une deuxième partie au Tour de l'Enseignement.

La première partie du tour de magie avait permis à Lacrampe de devenir professeur. L'autre partie de ce tour donna à Jacques et à tous les nouveaux attacheurs-de-ficelles l'énergie magique qui permettait de profiter au maximum des instructions du professeur.

La seconde partie du tour présentait des ressemblances avec la première moitié, mais par ordre de priorité inverse.

Le Livre de Magie du Magicien Zapp !

Le Tour de l'Enseignement

Partie 2

Ce Tour doit être utilisé par ceux qui ont besoin d'apprendre quand ils commencent un nouveau travail ou quand ils sont confrontés à des difficultés et des incertitudes

1. Exprimez vos besoins et vos problèmes.

2. Ecoutez.

3. Posez des questions.

Pour apprendre vraiment le métier d'attacheur-de-ficelles, Jacques dut s'ouvrir à Lacrampe, partager avec lui certains de ses problèmes, avouer les domaines dans lesquels il sentait qu'il avait besoin de plus de connaissances. Il lui arrivait de dire par exemple : "Après deux ou trois flèches, mon bras est fatigué" ou "Cela pourrait peut-être m'aider dans mon travail de savoir pourquoi il faut faire tant de tours avec la ficelle." Ensuite, évidemment, il fallait qu'il écoute pour apprendre.

Enfin, Jacques devait poser des questions pour combler d'éventuels manques de connaissance ou de compréhension. "Si je vois que la bobine est presque vide, est-ce que je dois commencer une nouvelle flèche ou pas ?" ou bien "Je ne comprends pas ; pourquoi utilisez-vous de la ficelle et pas de la corde ?"

Evidemment, vous pensez peut-être que le Tour de l'Enseignement est superflu, parce que donner et demander des conseils est une chose naturelle. Mais vous vivez probablement dans un monde meilleur que le Monde Magique de Jacques et ses collègues. Voyez-vous, dans le pays de Malronne, le fait de ne pas savoir quelque chose et par exemple de demander de l'aide, était considéré comme un signe de faiblesse, surtout pour les hommes.

Les Malronniens avaient souvent peur d'admettre qu'ils ne savaient pas certaines choses, ou qu'ils ne pouvaient pas faire certaines choses tout seuls. Mais grâce à la magie du Tour de l'Enseignement, les gens furent capables de dépasser cette peur... et de cette façon, ils devinrent non pas plus faibles, mais plus forts.

Zapp !

Le Tour Supérieur du Soutien comprenait trois tours ; le second était le Tour de la Correction par l'Appréciation et son objectif était de montrer aux gens comment être plus performants, en leur donnant les bonnes appréciations sur leur travail, au bon moment.

Avant d'apprendre ce tour, Lacrampe avait toujours cru que le fait de donner une appréciation consistait à dire quelque chose comme : "Regarde ce que tu fais !" ou "Tu as encore fait une bêtise !"

Mais en lisant le *Livre de Magie*, Arthur apprit à Lacrampe et aux autres fabricants-de-flèches qu'il y avait deux sortes d'appréciations.

La première était l'appréciation positive ; c'était celle qu'utilisait Lacrampe quand il expliquait précisément à Jacques ou à un des autres, à la fin d'un travail, tout ce qui avait été bien fait et pourquoi.

"C'est réussi", disait Lacrampe, "parce qu'il n'y a pas de bout de ficelle mal attaché qui risquerait de se dénouer, et les nœuds sont serrés."

Le second type d'appréciation n'était pas "négatif". C'était au contraire l'appréciation qui incitait les gens à améliorer leur performance. Pour donner ce type d'appréciation, Lacrampe devait dire à Jacques et aux autres, de façon précise, ce qui aurait pu être mieux, ce qu'il fallait faire autrement, et pourquoi il était important de faire les choses de cette façon.

Au lieu de débarquer et de dire à Jacques : "Tes nœuds ne sont pas assez serrés !" puis de repartir dans l'autre sens, Lacrampe disait : "Il faut que tu fasses des nœuds plus serrés. Regarde, si tu tords la ficelle de cette façon en l'enroulant, elle finira par être plus serrée. C'est vraiment important parce qu'autrement la flèche peut osciller, ce qui diminue l'aérodynamisme."

Ainsi Jacques acquérait des connaissances supplémentaires et comprenait mieux ce qu'il faisait, ce qui lui permettait de diriger ses efforts dans la bonne direction. Au fur et à mesure, il travaillait de mieux en mieux. Et comme il progressait, il était beaucoup plus enthousiaste pour son travail.

Zapp !

Le Livre de Magie du Magicien Zapp !

Le Tour de la Correction par l'Appréciation

Pour aider les gens à continuer
dans la bonne direction

L'Appréciation positive
• Dites de façon précise ce qui a été bien fait.
• Expliquez pourquoi.

L'Appréciation constructive
• Dites ce qui aurait pu être mieux fait.
• Expliquez pourquoi.
• Suggérez un moyen.

Le troisième tour de magie qui composait le Tour Supérieur du Soutien était le Tour de l'Encouragement. Ce Tour de magie injecta parmi les faiseurs de flèches une nouvelle touche de magie essentielle : il donna à Jacques et à tous les autres fabricants-de-flèches l'énergie morale nécessaire pour continuer à progresser.

Mais Arthur et les autres s'aperçurent qu'il fallait faire un peu attention avec le Tour de l'Encouragement. Ce n'était pas si facile à utiliser qu'ils l'avaient imaginé tout d'abord.

Si Lacrampe forçait la magie en disant quelque chose comme : "Bravo ! C'est du bon travail !" quand Jacques n'avait pas fait un bon travail, alors le tour ne fonctionnait pas.

A l'inverse, si Lacrampe attendait d'utiliser le Tour de l'Encouragement jusqu'à ce que tout soit absolument parfait, alors la magie n'agissait que très peu. En effet, Jacques était alors fatigué d'attendre l'encouragement, ou bien avait oublié l'action pour laquelle on l'encourageait.

Pour que la magie agisse vraiment, il fallait effectuer le tour de façon à ce que l'encouragement soit légitime.

Les mots devaient être sincères.

Les sentiments qui motivaient ces mots devaient être vrais.

Il était important que les mots d'encouragement soient reliés à des actions spécifiques. Le fait de dire simplement : "tu as fait un bon travail" était moins efficace que de dire : "tu as fait un bon travail ; regarde : tu as appliqué toute la potion sur la ficelle et pas sur la tige..."

En cas de réussite seulement partielle, il était important d'effectuer le Tour de l'Encouragement de façon à mettre en avant ce qui s'était bien passé, ou ce qui avait été bien fait.

D'autre part l'encouragement devait être opportun, exprimé peu de temps après que l'action à encourager ait été effectuée.

En fait si les mots étaient utilisés trop souvent, ils perdaient leur pouvoir.

Le Tour de l'Encouragement devait donc être utilisé avec discernement. Mais s'il était utilisé au bon moment et avec des mots sincères, c'était le tour de magie qui supportait l'ensemble du Tour Supérieur du Soutien.

Le Livre de Magie du Magicien Zapp !

Le Tour de L'Encouragement

Les gens ont besoin d'encouragement pour
acquérir de l'énergie et continuer à progresser

Pour prodiguer cet encouragement : félicitez les
gens quand ils ont bien fait quelque chose.

• Soyez honnête.

• Soyez spécifique.

• Soyez opportun.

• En cas de réussite partielle, félicitez la personne
pour le travail qu'elle a bien effectué.

• N'exagérez pas vos félicitations.

• Fêtez les réussites.

La Tour numéro Deux du Château de Malronne devenait
un endroit de plus en plus agréable pour travailler.

Quand Arthur Rénovetoi apprit le Tour Supérieur du
Soutien à Lacrampe et aux ouvriers de l'Attachage des Ficelles, il en profita pour apprendre aussi ses trois tours à Natacha et à tous les ouvriers de l'Etage des Plumes.

Natacha, en fait, fut une des premières à sentir qu'il y
avait quelque chose de nouveau et de différent dans l'air.
C'était une impression de chaleur, qui commença à se répandre
dans tout l'étage quand les colleurs-de-plumes proposèrent

leur aide aux faiseurs-de-tiges. Ceux-ci, miraculeusement, ne souffraient plus de blessures dûes aux éclats de bois ; l'épidémie était terminée, et ils étaient maintenant heureux d'apporter leur aide.

Un jour, Natacha venait d'effectuer le Tour de l'Encouragement, et Arthur avait réussi à coller à peu près toutes les plumes selon le bon angle sur ses flèches. Natacha regarda autour d'elle et dit : "Quelle est cette étrange lumière ?"

"Je crois que c'est du jaune", dit Arthur.

Et en effet, c'était ça. Comme les fabricants-de-flèches s'aidaient de plus en plus entre eux, un superbe jaune d'or s'était mis à faire des apparitions de plus en plus fréquentes un peu partout dans la Tour, et tout le monde trouvait que cela s'accordait très bien avec le rouge et l'orange qui étaient progressivement en train de remplacer l'habituelle grisaille.

Mais outre l'amélioration de l'atmosphère et la coloration de la Tour numéro Deux, le Tour Supérieur du Soutien apporta beaucoup d'avantages très concrets.

En apportant leur soutien aux faiseurs-de-tiges, les colleurs-de-plumes bénéficièrent d'une aide plus efficace, et purent par conséquent envoyer plus de tiges terminées à l'Attachage des Ficelles. Et l'Attachage des Ficelles, en aidant les faiseurs-de-pointes, obtint une aide qui permit à Lacrampe et à ses collègues d'envoyer chaque jour plus de flèches terminées au dernier étage de la Tour, pour qu'on leur injecte la touche de magie.

Baquet de pointes par baquet de pointes, et paquet de tiges par paquet de tiges, les faiseurs de flèches réussirent à faire diminuer à nouveau les énormes tas de pièces détachées. A mesure que les baquets et les paquets se désempilaient, le nombre de Flèches Magiques terminées et transmises aux chevaliers pour qu'ils puissent combattre les dragons commença (enfin !) à augmenter.

La Directrice observait jour après jour les chiffres qui grimpaient : 106, 109, 136, 144, 158, 182 Flèches Magiques terminées !

La Directrice en vint à faire des bonds tellement elle était surexcitée. Maintenant elle commençait vraiment à voir et à croire que le Zapp ! avait un réel pouvoir.

Elle descendit voir Arthur Rénovetoi et lui emprunta le *Livre de Magie du Magicien Zapp !*

De retour dans son bureau, elle était en train de feuilleter ce livre quand le rapport du dernier œil flottant arriva. Elle le parcourut rapidement et faillit s'étrangler.

Avec un soupir de déception, elle ferma le *Livre de Magie* et le rendit à Arthur.

"Ouaouh", dit Arthur à la Directrice quand elle lui rendit le *Livre de Magie*, "vous devez lire très vite".

"Je n'ai pas pris la peine de le lire en entier", dit la Directrice.

"Pourquoi ?"

"Cette magie du Zapp ! est puissante, mais seulement temporaire", dit la Directrice.

Arthur regarda autour de lui et vit du rouge, du orange, du jaune, et plein d'éclairs qui fusaient entre les gens. Il dit : "Elle me paraît encore assez puissante."

"Eh bien jetez un coup d'œil là-dessus", dit la Directrice. Et elle lui montra le dernier rapport : La production de la veille était descendue à cent dix Flèches Magiques.

"Ouh la la, c'est une sacré chute", dit Arthur. "Evidemment, je peux vous expliquer à quoi elle est dûe."

"C'est vrai ?"

"Bien sûr. Venez avec moi."

Ils montèrent jusqu'à l'Etage de Plumes.

Quand Arthur ouvrit la porte, la Directrice fit un pas en arrière, s'attendant à ce que tous les paquets de tiges de flèches empilés dévalent les escaliers. Mais rien ne tomba. Le gros tas n'était plus là.

"C'est la même chose à l'Attachage des Ficelles", dit Arthur. "Vous comprenez maintenant ? Le problème ne vient pas de la magie. Nous avons éliminé le stock de pièces détachées."

Puis Arthur expliqua à la Directrice ce qui mathématiquement était en train de se passer :

Dans l'Atelier des Tiges, il y avait trois faiseurs-de-tiges qui fabriquaient environ vingt-cinq tiges de flèches par jour, plus Arthur lui-même, qui avait doublé sa capacité de production et fabriquait cinquante tiges par jour. Cela faisait un grand maximum de cent vingt-cinq tiges de flèches par jour.

Dans la zone des pointes, il y avait quatre faiseurs-de-pointes, qui fabriquaient environ vingt pointes de flèches par jour, plus Jacques, qui avait augmenté sa production de 80 pour cent et façonnait donc environ trente-six pointes par jour. Cela signifiait un total d'environ cent seize pointes de flèches pour un jour normal.

"Et bien sûr", dit Arthur, "quand les fabricants-de-tiges et les faiseurs-de-pointes aident les colleurs-de-plumes et les attacheurs-de-ficelles, les chiffres sont inférieurs."

C'était un peu difficile à comprendre pour la Directrice.

"Voyez-vous", dit Arthur, "nous dépendons forcément les uns des autres ; pour cette raison, la production maximale de toute la Tour correspondra toujours à la plus petite production parmi les cinq groupes. Ainsi, quand les fabricants-de-tiges produisent cent vingt-cinq tiges, et que les fabricants-de-pointes produisent seulement cent-seize pointes, l'ensemble de la Tour ne peut produire qu'un maximum de cent-seize Flèches Magiques."

"Aha", dit la Directrice. "C'est un peu comme une chaîne dont la résistance ne peut être supérieure à celle de son plus faible maillon."

"C'est un peu ça."

"Hier nous n'avons même pas atteint une production de cent-seize flèches", dit la Directrice.

"Je suppose qu'un des groupes a fait une mauvaise journée", dit Arthur. "Quand un groupe fait une mauvaise journée, cela diminue la production de toute la Tour."

A ce moment-là, la Directrice eut une excellente réaction. Elle aurait pu se dire après avoir entendu une révélation aussi déprimante : "Après tout, je m'en fiche. Pour le moment, j'ai au moins obtenu l'amélioration de dix pour cent que les ducs avaient demandée. Cela suffit."

Mais la Directrice ne se dit pas cela. Au contraire, elle dit à Arthur Rénovetoi : "Redonnez-moi ce *Livre de Magie du Magicien Zapp !*".

La Directrice ramena le livre dans son bureau et se remit à le feuilleter, espérant que quelque chose lui sauterait aux yeux et lui donnerait une indication sur ce qu'elle devait faire.

Elle était en train de lire le Tour des Trois Clés, quand soudain la page se mit à rayonner. Et en grandes lettres d'or, de nouveaux mots apparurent, comme s'ils avaient été spécialement destinés à être lus par la Directrice. Ils s'inscrivirent au-dessous de la description générale du Tour des Trois Clés.

Pendant un long moment, la Directrice réfléchit à ce que ces nouveaux mots pouvaient signifier. Puis elle fit savoir qu'elle voulait rencontrer Arthur, Jacques et Isabelle.

Ils se réunirent dans une pièce de la Tour qui était inutilisée, et qui récemment était encore remplie de pièces détachées.

"Vous vous êtes assez bien imposés comme meneurs dans cet effort d'amélioration entraîné par le Zapp !", dit la Directrice. "Par conséquent je voulais vous demander la chose suivante : est-ce que le chiffre de cent-dix ou de cent-seize Flèches Magiques par jour, à quelques variations près, est le maximum que nous puissions faire ?"

"Bien sûr que non", dit Jacques. "Le Seigneur Bob a dit que les chevaliers avaient besoin du double de Flèches Magiques par rapport à ce que nous produisions, et je crois vraiment que nous pouvons atteindre cet objectif."

"Moi aussi", dit Arthur. "J'ai doublé ma production, mais aucun autre fabricant-de-pointes n'a fait beaucoup de progrès, bien qu'ils en soient tous aussi capables que moi. Je ne vois pas pourquoi nous ne produirions pas tous cinquante tiges par jour."

"C'est la même chose en ce qui concerne les pointes", dit Jacques.

"Pareil pour la Salle Magique", dit Isabelle, "et en ce qui concerne les attacheurs-de-ficelles et les colleurs-de-plumes, ils n'ont même pas commencé à effectuer le genre de progrès que nous avons fait dans nos propres processus de fabrication."

"Très bien", dit la Directrice. "Que puis-je faire pour vous aider, vous et les autres fabricants-de-flèches, à poursuivre l'effort ?"

Les trois employés sentirent une vague d'énergie déferler à l'intérieur d'eux-mêmes.

Ils discutèrent entre eux, ouvertement, pour déterminer le type d'aide dont ils avaient besoin de la part de la Directrice, et ils demandèrent trois choses.

Ils demandèrent du temps pour résoudre les problèmes.

Ils demandèrent à la Directrice de leur communiquer plus d'informations.

Et ils lui demandèrent enfin de les aider à se procurer tous les outils et les matériaux dont ils avaient besoin pour réaliser leurs progrès.

"Accordé", dit la Directrice.

Ils décidèrent ensemble comment et où ils se rencontre-raient à nouveau pour que la Directrice les aiguille, et pour qu'ils lui fassent un rapport de leurs progrès. Puis la Directrice quitta la pièce. En sortant elle laissa quelque chose à l'inté-rieur : un énorme Zapp ! pour les trois employés.

Dans le passé, quand la Directrice quittait une pièce, elle remportait presque toujours le problème avec elle.

Elle pouvait demander leur opinion aux employés, mais c'était toujours elle qui prenait la responsabilité de trouver la solution.

Pas cette fois. Cette fois elle laissa le problème (et le défi qu'il représentait) aux employés : il s'agissait pour eux de dou-bler la production de Flèches Magiques de la Tour numéro Deux.

Zapp !

Quand la Directrice revint dans son bureau, elle trouva sur sa table de travail une clé en platine qui brillait.

Personne, et elle encore moins, ne savait d'où venait cet-te clé en platine. Mais elle semblait de la même famille que la clé en bronze, celle en argent et celle en or que la Directrice avait déjà reçues en utilisant le Tour des Trois Clés.

Sur un côté de la clé en platine étaient inscrits ces mots :

**Proposez votre aide
sans prendre la responsabilité de l'action.**

C'était les mêmes mots que ceux qui étaient apparus aux yeux de la Directrice sous le Tour des Trois Clés.

Elle prit le petit coffre en bois que les employés lui avaient donné quelque temps auparavant, et inséra chacune de ses quatre clés dans les quatre serrures.

La Directrice fit tourner les clés... et le coffre s'ouvrit.

La première chose qui sortit du coffre fut une boule de lumière brillante qui se mit à flotter, sortit du bureau de la Directrice, grossit rapidement, se fondit avec les autres lumières de la Tour, et augmenta leur puissance de façon remarquable. A partir de ce jour, le pouvoir de toute la magie Zapp ! qui avait été utilisée dans la Tour numéro Deux fut démultiplié.

La Directrice inspecta le coffre pour voir s'il contenait autre chose. C'était le cas. Un autre livre de magie était à l'intérieur, qui s'intitulait : *Le Livre de Magie du Magicien Zapp ! Pour les Patrons*.

La Directrice s'installa donc confortablement et ouvrit son livre de magie personnel, qui contenait tous les tours de magie que les fabricants-de-flèches étaient en train d'apprendre, avec en plus certains autres tours qui ne pouvaient être effectués que par les patrons.

Ces tours de magie donnèrent à la Directrice un pouvoir magique personnel qui lui permit de déléguer l'autorité (tout en continuant à savoir ce qui se passait), d'établir des objectifs précis, et d'autres trucs utiles.

Cela prit plusieurs lunes, mais avec du temps et de la pratique, la Directrice apprit ces tours de magie.

A la grande satisfaction d'Arthur, de Jacques et d'Isabelle,
la Directrice devint plus qu'un simple patron.
Elle devint une meneuse.

10

P endant ce temps, dans la salle inutilisée, Isabelle, Jacques et Arthur étaient complètement abasourdis.

"Dis-donc, la Directrice nous fait confiance !" dit Isabelle.

"Ouais, je n'arrive pas à croire que ce soit à ce point-là", dit Jacques.

"Quelques lunes auparavant", dit Arthur, "je n'aurais jamais cru ça possible."

Puis ils réalisèrent subitement l'ampleur de la tâche qu'ils avaient à accomplir.

"Dis-donc, nous avons beaucoup de choses à accomplir !" dit Isabelle.

"Ouais, je n'arrive pas à croire que ce soit à ce point-là", dit Jacques.

"D'ici quelques lunes", dit Arthur, "nous devrons avoir fait ce que nous avons promis de faire !"

Ils descendirent donc travailler.

La première chose qu'ils firent, en se rappelant de leurs erreurs passées, fut de vérifier que tout le monde dans la Tour numéro Deux savait ce qui était important et quel était l'objectif : deux cents flèches par jour.

Puis ils firent en sorte que tout le monde soit au courant du nombre de flèches produites. Vers la fin de la journée, Isabelle écrivait sur un papier le nombre total de flèches terminées et collait ce papier sur la porte pour que tous les faiseurs-de-flèches puissent le voir à la fois quand ils partaient et quand ils revenaient le lendemain matin.

Elle avait également commencé à tracer une courbe marquant l'évolution de la production ; elle l'avait dessinée sur une grande feuille qu'elle avait accrochée à côté du total quotidien, et jour après jour, les ouvriers purent mieux se rendre de compte de leur performance (bonne ou mauvaise).

**Nombre de Flèches Magiques produites
aujourd'hui :
148 !**

Production de Flèches Magiques

L'objectif pour la Tour numéro Deux :
200 par jour.

Isabelle, Jacques et Arthur rencontrèrent individuellement leurs collègues pour aider chacun d'entre eux à se fixer un objectif personnel dans son travail, et pour que cet objectif soit cohérent avec l'objectif général de la Tour. Ils encouragèrent tous les fabricants-de-flèches à mesurer chaque jour leurs propres progrès.

Tous les employés n'avaient pas le même objectif, bien sûr, parce qu'ils ne faisaient pas le même travail et aussi parce que certaines personnes avaient moins d'expérience que d'autres. Souvent, les fabricants-de-flèches devaient se fixer plusieurs petits objectifs pour arriver à atteindre un objectif plus important. Mais à long-terme, si tout le monde atteignait son objectif, alors l'objectif global serait atteint.

Pendant cette période, Arthur, Jacques, Isabelle et les autres fabricants-de-flèches utilisèrent toute la magie Zapp ! qu'ils connaissaient. Ils effectuèrent le Tour Supérieur du Soutien, par exemple, pour que les autres employés se sentent encouragés par ce progrès et motivés pour vaincre les obstacles.

Zapp !

Assez vite, à force d'utiliser le Tour de l'ACTION et les autres tours de magie du livre, il se produisit dans la Tour numéro Deux une multitude de petites améliorations, du rez-de-chaussée au dernier étage.

Natacha découvrit qu'elle passait beaucoup de temps pendant la journée à aplatir les plumes qui devaient être collées sur les tiges de flèches. Ses collègues et elle imaginèrent donc un moyen d'aplatir les plumes pendant la nuit, en empilant par-dessus des pavés bien lourds. Le temps ainsi gagné permit d'effectuer plus de collage.

Arthur, Jacques et Isabelle partageaient leurs idées d'amélioration avec leurs collègues. Ils utilisaient le Tour des Trois Clés : ainsi les gens ne se sentaient pas inutiles ou jaloux sous prétexte qu'ils n'avaient pas trouvé eux-mêmes ces idées. Les trois amis permettaient également aux autres faiseurs-de-flèches d'apporter leur touche personnelle à ces idées. En modifiant légèrement l'idée originale, les fabricants-de-flèches pouvaient jouer entre eux à celui qui ferait l'amélioration la plus intéressante.

NOTES DE L'ATELIER DE :
Arthur RENOVETOI
Tour Deux, Château de Malronne

Quand on essaie d'effectuer des améliorations...

DEUX TETES VALENT MIEUX QU'UNE
ET BEAUCOUP DE TETES VALENT MIEUX
QUE DEUX !

Quelquefois un nouveau point-de-vue pouvait changer beaucoup de choses. Lacrampe s'aperçut que, contrairement à ce que tout le monde s'imaginait, il ne savait pas tout sur la manière d'assembler les pointes de flèches avec les tiges. Grâce à ses connaissances personnelles en matière de pointes de flèches, Jacques (en utilisant le Tour des Trois Clés) put faire remarquer à Lacrampe qu'une simple torsion ici et un tour là feraient mieux tenir la pointe et permettraient d'éliminer plusieurs nœuds qui étaient compliqués et longs à faire.

En suivant ce conseil, Lacrampe et les autres attacheurs-de-ficelles purent gagner plusieurs minutes par flèche. Mais cela n'aurait jamais pu arriver si Jacques n'avait pas fait sa part du travail à l'Attachage des Ficelles, avec les autres faiseurs-de-pointes.

C'était vrai aussi dans l'autre sens. Grâce au Tour Supérieur du Soutien, chacun des groupes de travail s'était mis à apprendre différents métiers dans la Tour. Ainsi, si quelqu'un attrapait la fièvre de Malronne et ne pouvait pas venir travailler, ou si l'un des groupes avait un problème et prenait du retard, les autres groupes pouvaient prêter main-forte en envoyant un ou deux fabricants-de-flèches pour aider.

Un jour, un employé de la découpe arriva très en retard au château ; les fabricants-de-tiges, qui avaient manqué de morceaux de bois pendant la matinée, avaient pris du retard dans leur travail. Natacha vint donc les aider dans l'après-midi.

"Dis, Arthur, je voudrais savoir quelque chose", dit-elle. "Pourquoi perdez-vous du temps à empaqueter bien comme il faut toutes les tiges de flèches ?"

"En fait, nous avons toujours cru que vous préfériez les choses de cette façon", dit Arthur.

"Non, cela nous est égal qu'il y ait de jolis paquets", dit Natacha. "A dire vrai, ça embête tout le monde : vous devez compter à chaque fois douze tiges pour les envelopper dans un paquet, et ensuite, là-haut, à l'Etage des Plumes, nous défaisons tout simplement les paquets."

Ils calculèrent rapidement qu'au moins une demi-heure était consacrée chaque jour à l'empaquetage des tiges, alors que cette étape n'était vraiment pas nécessaire ; ils l'avaient effectuée jusqu'à présent de manière automatique, sans réaliser tout le temps qu'elle leur faisait perdre. Bien sûr, une demi-heure peut paraître peu de chose, mais si vous ajoutez cette demi-heure jour après jour après jour, vous obtenez une grande plage de temps.

Ils effectuèrent donc le Tour de l'ACTION et réfléchirent à d'autres alternatives possibles. Au lieu d'empaqueter les tiges, ils essayèrent de les transporter dans des baquets semblables à ceux qui étaient utilisés pour les pointes, mais ils étaient trop petits. Ils essayèrent ensuite des barils en bois, mais ils étaient trop lourds. Finalement, un des faiseurs-de-tiges ramena de chez lui un panier en osier long et étroit, qui ne pesait pas lourd, et avait à peu près la bonne taille.

Ils firent fabriquer quelques autres paniers de ce type en ville ; cela leur coûta quelques pièces d'or que la Directrice prit dans son budget. A partir de ce jour, quand les faiseurs-de-tiges avaient terminé leurs tiges, ils les mettaient dans ces paniers, et quand un panier était plein, quelqu'un le portait à l'Etage des Plumes. C'était une solution simple qui leur permit de fabriquer six à huit tiges supplémentaires par jour.

Ces petits progrès commencèrent à s'ajouter les uns aux autres et à se multiplier. Très vite, il arriva de plus en plus de flèches dans la Salle Magique... de façon qu'Isabelle et les autres employés de cet étage n'avaient presque jamais les mains vides. Il fallait qu'eux aussi, ils deviennent plus inventifs dans leur manière de travailler.

Il arrivait même que cet étage ait besoin d'une aide temporaire de la part des autres fabricants-de-flèches. Bien qu'il fût nécessaire d'avoir un diplôme pour manier une baguette magique, il y avait des procédures bien déterminées que n'importe qui pouvait effectuer avec une formation adaptée.

Quand les chiffres inscrits sur le mur, en bas de la Tour numéro Deux, à la fin de la journée, marquaient une augmentation, ils ne mentaient pas : 116, 121, 119, 125, 127, 124, 131.

Les chiffres n'allaient pas toujours croissant. Il y avait des mauvais jours comme des bons jours. Et il y avait des périodes où les chiffres n'évoluaient pratiquement pas.

La Directrice faisait tout ce qu'elle avait promis de faire. Elle permettait aux employés de passer une partie du temps à discuter et à effectuer le Tour de l'ACTION. Elle leur avait donné de l'or pour acheter par exemple les paniers et les outils spéciaux. Elle partageait plus d'informations avec eux. Mais,

mieux encore : quand elle voyait que les employés n'avan-
çaient plus, ou quand ils avaient des problèmes, elle allait les
voir et leur proposait de l'aide.

Un jour, la Directrice alla voir Arthur, Jacques et Isabelle et leur dit : "J'ai remarqué que la production de flèches avait
chuté un petit peu."

"Nous l'avons remarqué aussi", dit Jacques.

"A votre avis, quel est le problème ?"

"Nous ne savons pas vraiment", dit Arthur, "mais j'ai
remarqué une chose : nous passons beaucoup de temps en
réunions et en discussions les uns avec les autres. Nous apprécions le fait que vous nous accordiez le temps nécessaire, mais
il semble que nous n'accomplissions pas grand-chose pendant
ces réunions."

"Oui, cela me préoccupe également", dit la Directrice.
"Je vais vous dire, les réunions, ça me connaît. Pourquoi n'as-
sisterais-je pas à quelques-unes des vôtres ? Je pourrais essayer de déterminer pourquoi ces réunions prennent tant de
temps."

"Bonne idée", dit Arthur.

L'après-midi suivant, les fabricants-de-tiges se réunirent
et la Directrice vint s'asseoir avec eux. Arthur Rénovetoi dirigeait la réunion, et il ouvrit la séance en disant quelques mots
s'inspirant du Tour des Trois Clés.

"Nous pouvons tous être fiers de travailler si bien ensemble" (*Zapp !*) "et je sais que nous voulons tous que le progrès se poursuive", dit Arthur. "J'aimerais donc que vous
m'apportiez votre aide sur un problème important."

Zapp !

"Nous devons décider s'il est nécessaire ou non d'augmenter le volume de nos commandes périodiques en morceaux de bois", poursuivit Arthur, "et si deux livraisons par semaine sont encore suffisantes."

"C'est un bon sujet de discussion", dit Mustapha, un des
collègues d'Arthur. "Je sais que j'ai manqué de stock plusieurs
fois ces dernières semaines." Et il se mit à décrire en détails le
sentiment d'irritation qu'il avait alors éprouvé.

Arthur écouta et répondit en faisant preuve de compréhension. "Tu te sens donc frustré et tu es en colère quand tu
n'as plus de morceaux de bois."

"Oui", dit Mustapha.

Zapp !

"Au fait", dit Louise, une autre employée aux tiges, "je
crois qu'il faudrait organiser un peu mieux les tours de balayage pour enlever la sciure à la fin de la journée."

Arthur écouta sa collègue, et compatit du mieux qu'il put
au sentiment qu'elle éprouvait d'avoir fait plus que sa part de
balayage..

Zapp !

"Oui", dit George, "mais il faut aussi réfléchir à ce que
nous pourrions faire avec cette sciure de bois."

Et ainsi de suite. Au bout d'une demi-heure, cependant,
il fallut retourner au travail.

"Attendez une minute !" dit Arthur. "Nous n'avons pas
décidé combien nous devions commander de morceaux de
bois !"

"Eh bien", dit Louise, "retrouvons-nous à la même heure
demain et à ce moment-là nous en discuterons."

Quand tous les autres fabricants-de-tiges furent retournés
au travail, Arthur dit à la Directrice : "Vous voyez ? J'étais en
train d'effectuer le Tour des Trois Clés, mais nous n'avons pas

pris les décisions nécessaires. Alors que j'essayais d'obtenir les chiffres de chacun pour passer une commande, tout d'un coup nous nous sommes mis à discuter de la sciure et des tours de balayage ! En quoi me suis-je mal débrouillé ?"

"En ce qui concerne le Tour des Trois Clés, je ne crois pas que vous vous soyez mal débrouillé", dit la Directrice. "Pourquoi ne regarderions-nous pas à nouveau dans le Livre de Magie pour voir s'il n'y a pas quelque chose qui pourrait nous aider ?"

Arthur prit le *Livre de Magie du Magicien Zapp !* et le parcourut avec la Directrice. Au dos du Tour des Trois Clés il y avait une longue page écrite en petits caractères, qui contenait des avertissements et des contre-indications qu'Arthur avait sautés parce que cela semblait ennuyeux à lire (et ça l'était, en effet).

En substance il était écrit :

> Avertissement. Les gens, dans une organisation, ont deux types de besoins. Ils ont des besoins personnels. C'est-à-dire qu'ils ont besoin de se sentir valorisés. Leurs sentiments doivent être respectés. Et chaque personne a besoin de sentir qu'elle occupe une place importante dans le groupe.
>
> Mais les gens, dans une organisation, ont aussi des besoins pratiques. Par exemple, ils ont besoin d'obtenir les bonnes informations, ils ont besoin d'une direction précise, ils doivent avoir les outils adéquats, des horaires, etc.

A la suite, il était écrit : "Le Tour des Trois Clés répond principalement aux besoins personnels. Pour répondre aux besoins pratiques, voir le Tour de l'ACTION."

"Vous voyez", dit la Directrice, "dans la réunion, vous vous occupiez bien des besoins personnels, mais la raison pour laquelle vous avez organisé la réunion était liée à un problème pratique."

"Vous savez, j'ai bien pensé à effectuer le Tour de l'AC-TION", dit Arthur, "mais je me suis dit qu'il ne correspondait pas à la situation. Nous n'étions pas vraiment en train de résoudre un problème. Nous nous réunissions simplement pour collecter de l'information et prendre une décision."

"Jetons quand-même un coup d'œil sur le Tour de l'AC-TION."

Ils le firent. En bas de la page, en petits caractères, on pouvait lire le message suivant :

> Pour les discussions et les réunions d'ordre général, essayez la variante InterACTION du Tour de l'ACTION. Pour connaître ce tour, claquez trois fois dans vos doigts et prononcez les mots suivants :
>
> "Soyons pratiques."

Arthur et la Directrice se tournèrent l'un vers l'autre, firent claquer leurs doigts, prononcèrent ensemble ces mots... et on entendit un roulement de tonnerre. Les mots qui composaient le Tour de l'ACTION se mirent à changer et à se déplacer sur la page du Livre de Magie. Quand le tonnerre s'arrêta, les mots étaient organisés dans un autre ordre et le Tour de l'ACTION était devenu le Tour de l'InterACTION.

Le Livre de Magie du Magicien Zapp !
Le Tour de l'InterACTION

Basé sur le même principe magique que le Tour de l'AC-TION, le Tour de l'InterACTION peut être utilisé dans toutes sortes de discussions pratiques, qu'elles aient lieu entre deux personnes ou dans des réunions de groupe avec beaucoup de gens. Il fonctionnera dans n'importe quelle situation concrète où les participants ne doivent pas dévier par rapport au sujet, et doivent arriver à une décision avec les autres.

Pour effectuer le Tour :

1. Ouvrez la séance en rappelant ce qui doit être accompli et pourquoi c'est important.

2. Précisez les points de détail.

3. Développez des idées.

4. Mettez-vous d'accord sur des actions concrètes.

5. Terminez la séance par le compte-rendu des décisions et organisez le suivi nécessaire.

A la réunion du lendemain Arthur utilisa donc le Tour de l'InterACTION.

Il ouvrit la séance en rappelant ce qu'était l'objet de la réunion et en quoi il était important.

Puis il précisa les points de détails en demandant aux faiseurs-de-tiges combien il leur restait actuellement de morceaux de bois, et à combien ils estimaient leurs besoins futurs.

Ensuite, les faiseurs-de-tiges discutèrent pour savoir s'il fallait augmenter le volume des commandes et à quel rythme les livraisons devaient être effectuées.

Ils se mirent d'accord sur des actions à mener : Mustapha demanderait aux coupeurs-de-bois d'augmenter le rythme des livraisons de deux fois par semaine à trois fois par semaine, et Louise vérifierait le stock deux fois par jour pour évaluer s'il y en aurait assez pour tenir jusqu'à la prochaine livraison.

Enfin, Arthur s'assura que tout le monde avait compris ce qui allait se passer, en faisant un compte-rendu des décisions et des raisons qui les motivaient. Il leur fit approuver les conditions selon lesquelles ils discuteraient à nouveau de ce problème. Louise les avertirait en cas de pénurie probable, ou au contraire en cas d'entassement excessif des morceaux de bois.

Chaque fois que quelqu'un évoquait un nouveau thème de discussion qui aurait risqué de faire dévier la réunion, Arthur recentrait la conversation sur la partie du Tour de l'InterACTION dont ils étaient en train de s'occuper. Le Tour de magie leur donnait une structure ; ils savaient ainsi où ils en étaient à n'importe quel moment de la discussion, et ce qu'ils devaient couvrir avant de passer à un autre sujet.

Arthur apprit le Tour de l'InterACTION au reste des faiseurs-de-flèches, ainsi qu'à la Directrice. Ce Tour représentait pour eux non seulement un moyen de résoudre les problèmes, mais aussi un moyen de rendre leurs discussions plus productives.

Zapp !

Bientôt, une nouvelle couleur apparut dans la Tour : du vert. C'était un très beau vert, une teinte que personne n'avait jamais vue dans le château jusqu'à présent.

Une petite idée...
Un petit progrès...
Un petit Zapp ! à la fois.

C'est ainsi que les employés de la Tour numéro Deux, qui avaient toujours travaillé dans le brouillard et la monotonie, avaient transformé leur lieu de travail en un endroit lumineux où tout semblait possible.

Avant, tout le monde venait au travail par obligation et faisait ce qu'on lui demandait ; maintenant tout le monde voulait travailler et faire de son mieux.

Grâce aux tours de magie de David et au soutien de la Directrice, les fabricants-de-flèches avaient effectué ces changements en grande partie par eux-mêmes.

Chaque fois que le compte de flèches augmentait, on entendait les acclamations des employés quand ils partaient à la fin de la journée.

A l'inverse, chaque fois que le compte de flèches baissait ou stagnait pendant une longue période, tout le monde était inquiet.

Maintenant qu'ils étaient au courant de l'objectif, qu'ils prenaient connaissance du score, et qu'ils savaient que le Zapp ! était là pour influer sur le résultat, tout le monde se sentait concerné.

Les chiffres augmentèrent lentement.

Le graphique affiché à côté du total quotidien montrait les progrès effectués : 133, 131, 129, 133, 136.

Puis : 137, 144, 149, 151, 148.

Puis : 142, 150, 154, 149, 160.

Puis : 161, 162, 160, 168, 172.

Puis les chiffres restèrent dans la tranche 170-à-180 pendant toute une période.

Jacques, Isabelle et Arthur rencontrèrent la Directrice, et Arthur lui dit : "Patron, en toute honnêteté, il nous faut plus de bras. Je suis sûr qu'à long-terme nous pourrions trouver des améliorations qui nous permettraient d'atteindre le chiffre de deux cents flèches par jour. Mais pour réussir vite, il faut que d'autres personnes nous aident à fabriquer les flèches."

"Je ne doute pas de votre bonne foi", dit la Directrice, "mais avec l'édit du Roi interdisant l'embauche d'employés supplémentaires au château, qu'est-ce que je peux faire ?"

"Nous y avons réfléchi", dit Isabelle, "et nous avons trouvé une idée."

Beaucoup de personnes effectuaient dans le château des tâches qui avaient bien quelque importance, mais qui ne contribuaient pas directement à la fabrication des flèches ou à l'élimination des dragons. Pourquoi pas "emprunter" certaines de ces personnes, au moins de façon temporaire, pour qu'elles aident les fabricants-de-flèches de la Tour numéro Deux ? Ainsi, le château ne paierait pas ou pratiquement pas d'or en plus pour les salaires, tandis que la Tour numéro Deux pourrait profiter de cette main-d'œuvre pour atteindre son objectif.

La Directrice trouva que l'idée était bonne. Elle aida les trois employés à présenter ce projet au Duc des Flèches, et le duc leur répondit : "Essayez".

En quelques jours, la Directrice put rassembler un garçon d'écurie, l'écuyer d'un des chevaliers, quelques crieurs du château, et même l'assistant d'un des ducs. Les fabricants-de-flèches de la Tour numéro Deux utilisèrent le Tour Supérieur du Soutien ; non seulement ils firent en sorte que les nouveaux arrivants se sentent chez eux, mais ils les rendirent productifs. Et environ une semaine plus tard, le compte de Flèches Magiques terminées approchait les 190.

Un après-midi, c'était très exactement un vendredi, Arthur Rénovetoi se préparait à partir ; il se mit à pointer ses chiffres, et s'aperçut qu'il avait fabriqué soixante-et-onze tiges de flèches à lui tout seul. Il alla voir les chiffres des autres faiseurs-de-tiges et vit un 58, un 63, un 49... et il réalisa qu'ils avaient largement dépassé le chiffre de deux cents tiges pour la journée. Il le dit aux autres, et il y eut un bourdonnement d'excitation dans l'atelier.

Il monta l'escalier pour aller à l'Etage des Plumes, parla à Natacha, et apprit que dans cet atelier ils n'avaient pas fait tout-à-fait aussi bien, mais qu'ils avaient quand-même collé des plumes sur deux cent dix-neuf tiges ce jour-là.

Quand Arthur et les autres fabricants-de-flèches arrivèrent à l'Attachage des Ficelles, Lacrampe était en train de dan-
ser à travers l'atelier avec la deux cent-unième flèche.

"Eh bien, ne danse pas avec !" dit Arthur. "Emmène-la
dans la Salle Magique."

Arthur descendit à l'Atelier des Pointes et alla voir
Jacques. Ils montèrent ensemble au dernier étage de la Tour ;
Isabelle et le reste de l'atelier étaient en train d'agiter leurs ba-
guettes comme des hystériques.

Les autres fabricants-de-flèches se mirent à compter
alors qu'Isabelle et ses collègues terminaient leurs dernières
flèches : "Cent quatre-vingt-dix-sept... cent quatre-vingt-dix-
huit... cent quatre-vingt-dix-neuf... deux cents !"

"Nous avons réussi !" cria Arthur Rénovetoi.

C'était vrai. Pour la première fois dans l'histoire de la
Tour numéro Deux, les fabricants-de-flèches avaient fabriqué
deux cent flèches en une seule journée. Les employés de la
Tour numéro Deux avaient finalement répondu à la demande
de leurs clients, les chevaliers. Ils avaient doublé le nombre de
Flèches Magiques qu'ils fabriquaient.

Tous les fabricants-de-flèches de la Tour numéro Deux fêtèrent l'événement. Ce n'était partout que poignées de mains, tapes sur l'épaule et sourires. La Directrice elle-même fit un tour et félicita chaque employé individuellement en leur disant : "Merci de votre aide. Merci d'avoir participé à tout ça."

Ils rentrèrent chez eux pour le week-end. Quand ils revinrent le lundi matin, toute la Tour s'illumina de toutes les nouvelles couleurs et tout le monde se mit au travail pour faire plus de Flèches Magiques. Au milieu de la semaine, il était clair que la performance de vendredi n'avait pas été un rêve : ils étaient bien en train de fabriquer les flèches à présent.

Quelques jours plus tard, au tout début de la journée, la Directrice vint voir tout le monde et dit : "Je vous prie de m'excuser, mais nous devons parler tous ensemble. Il semble qu'il y ait un petit problème."

Un petit problème ? De quoi pouvait-il s'agir ? Tous les fabricants-de-flèches de la Tour numéro Deux se rassemblèrent dans la cour.

"Nous allons devoir changer l'objectif", dit la Directrice.

Tout le monde grogna.

"Que veulent les chevaliers maintenant ?" demanda Jacques. "Est-ce qu'ils veulent que nous multipliions par quatre le nombre de flèches ?"

La Directrice se mit à rougir.

"Non, le Duc des Flèches a demandé à me voir hier. Je pensais qu'il allait nous féliciter, rapport au fait que la Tour numéro Deux avait atteint et dépassé de beaucoup l'objectif d'amélioration de dix pour cent, bien avant la Lune du Dragon. Mais Le Duc de la Comptabilité était là également, et il semble qu'ils soient très alarmés par l'augmentation vertigineuse des dépenses pour la production des Flèches Magiques."

"Il est évident que les coûts vont augmenter", dit Isabelle. "Nous avons doublé le nombre de flèches que nous fabriquions, et par conséquent nous avons doublé la quantité de matériel que nous devons acheter !"

"Oui, et c'est ce qui les alarme", dit la Directrice. "Voyez-vous, l'activité principale de ce château n'est pas la fabrication des Flèches Magiques. C'est le combat de dragons. Qu'il soit nécessaire d'utiliser une Flèche Magique pour maîtriser le dragon ou cent Flèches Magiques, le château gagne la même quantité d'or."

"Aha", dirent tous les employés.

"Et,", continua la Directrice, "comme les réserves d'or dans la Salle du Trésor sont très faibles... eh bien, disons que la situation est plutôt critique."

"Mais le Seigneur Bob nous a dit de doubler notre fabrication de flèches !" protesta Arthur.

"Le Seigneur Bob s'est trompé d'objectif", dit la Directrice.

"Pourquoi nous aurait-il dit ça ?"

"Je ne sais pas", dit la Directrice.

"Ecoutez, je crois que nous devrions aller voir le Seigneur Bob et les chevaliers pour leur demander une explication", dit Jacques.

"Je crois que c'est une très bonne idée", dit la Directrice. "En fait, je vais venir avec vous."

Jacques, Arthur, Isabelle et la Directrice se rendirent dans l'aile du château réservée aux Chevaliers ; là, ils trouvèrent le Seigneur Bob dans un état assez agité. Il était penché sur son bureau, pendant que son écuyer essayait d'enlever une des Flèches Magiques de la Tour numéro Deux qui lui était rentrée dans le derrière.

"Oh la la, qu'est-ce qui s'est passé, Seigneur Bob ?" demanda Isabelle. "Vous avez eu un accident ?"

"Un accident ?" rugit le Seigneur Bob. "Ce n'était pas un accident ! C'est le prix de la mauvaise qualité !"

Le Seigneur Bob mit un moment à se calmer suffisamment pour pouvoir parler, mais il semblait qu'il était sorti ce matin-là pour combattre une des grosses Mères Dragons.

Quand il avait décoché sa Flèche Magique, elle était partie en l'air, avait fait un grand looping, était passée complètement à côté de la Mère Dragon, avait fait demi-tour, et s'était plantée dans l'arrière-train du Seigneur Bob.

Heureusement, il portait des sous-vêtements blindés.

"Les soi-disant Flèches Magiques que vous produisez aujourd'hui ne valent pas les plumes qui sont collées dessus !" dit le Seigneur Bob, et il continua à beugler qu'il avait tiré tout un carquois de flèches, et qu'en plus il lui avait fallu réussir trois tirs avant de faire disparaître la Mère Dragon.

"Alors pourquoi nous avez-vous dit de doubler notre production ?" demanda la Directrice.

"Parce que, quand je vous ai dit de faire deux fois plus de flèches, je pensais que vous feriez plus de *bonnes* flèches ! Il semble que le contraire se soit passé !"

Jacques Arthur, Isabelle et la Directrice se mirent tous à virer au gris. Ils rentrèrent à pas lents vers la Tour numéro Deux, qui avait déjà perdu beaucoup de la jolie couleur naturelle qu'elle avait gagné pendant les dernières semaines. Toutes les teintes y étaient, mais maintenant elles avaient l'air délavé.

Quand arriva l'heure du déjeuner, Arthur rejoignit Jacques et Isabelle dans la cour à la même table que d'habitude, et vit qu'ils avaient tous les deux l'air déprimé.

"Tout ce que nous avons fait n'a servi à rien !" se plaignit Isabelle.

"Non, je ne suis pas d'accord", dit Arthur. "Ce que nous avons accompli n'a pas servi à rien."

"Pourquoi ?"

"Parce que ces dernières lunes nous avons appris *comment faire des progrès*. Et nous avons appris beaucoup sur nous-mêmes. Cela a sacrément plus de valeur que de savoir comment faire plus de flèches."

"Ouais, c'est vrai" admit Jacques. "Si nous avons mal fait les choses, c'est parce d'autres n'ont pas réfléchi à ce qu'ils nous demandaient... et peut-être que c'est en partie notre faute, peut-être que nous aurions dû leur poser plus de questions. Mais, vous savez, quand nous avons dépassé cet objectif des deux cents, nous avons prouvé ce dont nous étions capables."

"C'est vrai. Nous avons montré que quand nous travaillions ensemble vers un but commun, nous pouvions l'atteindre", dit Arthur. "Et maintenant que nous savons comment travailler ensemble, nous pouvons établir un nouvel objectif et nous attaquer aux vrais problèmes."

"D'accord, mais je ne sais même pas par où commencer", dit Isabelle.

"Il me semble qu'il faut commencer par la même chose que la première fois", dit Arthur. "Nous devons commencer avec un objectif et des mesures. Mais cette fois il faut que l'objectif de la Tour numéro Deux corresponde à la mission globale du château."

NOTES DE L'ATELIER DE :
Arthur RENOVETOI
Tour numéro Deux, Château de Malronne

La quantité est seulement un aspect
de la productivité.

Nous devons être sûrs que l'objectif que
nous cherchons à atteindre vaut la peine
d'être poursuivi.

Pendant les quelques jours qui suivirent, Jacques, Arthur et Isabelle se réunirent avec leurs clients, avec les chevaliers, et avec la Directrice ; puis avec les autres faiseurs-de-flèches de la Tour numéro Deux ils établirent un nouvel objectif.

Au lieu de "Doubler le nombre de flèches produites quotidiennement, pour passer de cent à deux cents", ils décidèrent tous que ceci serait peut-être préférable :

NOTES DE L'ATELIER DE :
Arthur RENOVETOI
Tour numéro Deux, Château de Malronne

Le Nouvel Objectif
pour la Tour numéro Deux :

Procurer des flèches de qualité qui répondent
à 100 pour cent aux exigences des chevaliers,
100 pour cent du temps.

Cette fois, pour être absolument sûrs que cet objectif-ci correspondait vraiment à la mission globale du château, ils l'écrivirent sur un papier, le montrèrent à la Directrice, au Seigneur Bob et aux chevaliers, ainsi qu'au Duc des Flèches, et tous s'accordèrent à dire que c'était un noble objectif, digne d'être poursuivi, qui aiderait à assurer la prospérité du château à plus long terme.

Eh bien le Duc des Flèches, en partie parce qu'il voulait être sûr qu'*il* avait raison en approuvant l'objectif, et en partie parce qu'il était très impressionné par l'initiative des employés, alla montrer cet objectif au Roi.

Quand le Roi vit cela, et que le duc lui raconta comment les employés de la Tour numéro Deux s'étaient fixés eux-mêmes un objectif et avaient travaillé ensemble pour l'atteindre, et qu'ils établissaient maintenant un nouvel objectif en réponse à de nouvelles informations et de nouveaux besoins, le Roi se réjouit.

"Enfin !" dit le Roi, joignant les mains en l'air. "Enfin, nous avons de l'espoir !"

Mais comment atteindre le nouvel objectif, là était la question. Pour réussir, Jacques, Arthur et Isabelle devaient faire en sorte que tout le monde, dans la Tour numéro Deux, pense d'une manière nouvelle et différente.

"Rassemblons les gens", suggéra Jacques, "et cherchons des améliorations qui nous aideront à atteindre le nouvel objectif."

C'est ce qu'ils firent. Ils rassemblèrent tout le monde. Ils effectuèrent le Tour de l'ACTION. Après quoi tout le monde s'accorda à dire que la réunion avait été productive.

Et elle l'aurait été, s'il n'y avait pas eu un "hic".

Ils se mirent d'accord sur une série de mesures qui ne servaient pas du tout l'objectif.

Peu de temps après la réunion, les employés se mirent à leur besogne et firent des banderoles avec des slogans comme "La Qualité, c'est Important !" ou "Ne Faites Aucune Erreur !" ou encore l'indémodable "Réussissez du Premier Coup !"

Ce n'était pas qu'il y eût quoi que ce soit de mal dans ces slogans, et les banderoles étaient superbes, tendues çà et là autour de la Tour... mais ce fut *tout* ce qu'ils firent.

Inutile de dire que la qualité ne s'améliora pas.

D'après la rumeur, les flèches continuaient à rater leurs cibles, et les chevaliers étaient toujours aussi insatisfaits.

"Et maintenant ?" demanda Arthur.

"Je crois que nous devrions faire comprendre à tout le monde", dit Isabelle, "que les slogans ne sont pas suffisants. Nous devons définir précisément *comment* nous allons améliorer la qualité."

Ils organisèrent donc une autre réunion, ils effectuèrent le Tour de l'ACTION, et la discussion tourna en rond autour d'une seule question :

"Qu'est-ce que c'est, la qualité ?" demanda Arthur.

"Euh...", dit Natacha, "Je crois que la qualité, c'est le fait d'avoir des plumes de la même couleur sur chaque flèche."

"Euh...", dit Jacques, "Je crois que la qualité, c'est le fait d'avoir des pointes de flèches bien brillantes et bien astiquées."

"Euh...", dit Isabelle, "Je crois que la qualité, c'est ce "petit plus", comme par exemple un gros ruban rouge autour de chaque tige."

Comme ils n'arrivaient pas à savoir, parmi tout ça, ce qu'était "la qualité", ils décidèrent de faire tout en même temps. La semaine suivante, ils firent très attention de coller des plumes de même couleur sur chaque flèche, s'assurèrent que les flèches étaient brillantes et astiquées, et juste avant que les flèches soient livrées aux chevaliers, Isabelle et plusieurs autres fabricants-de-flèches prenaient le temps d'attacher de gros rubans rouges ondulés autour de chaque tige.

Cependant, les chevaliers n'appréciaient pas tellement ces efforts.

Hero Z / 163

Quand Arthur alla leur demander ce qu'ils pensaient de ces améliorations, les chevaliers lui tinrent à peu près le même langage qu'avant : "Les flèches sont plus jolies maintenant, tant mieux. Mais elles sont toujours d'aussi mauvaise qualité. Et ces rubans rouges sont dangereux ! Les flèches s'emmêlent les unes avec les autres, et les dragons peuvent repérer ces rubans rouges à des kilomètres ! Avec ça, nous ne pouvons pas nous approcher discrètement pour surprendre les dragons ! La première chose que nous faisons quand nous recevons de nouvelles flèches est de défaire le ruban et de le jeter à la poubelle !"

Alors Arthur eut une idée. Il dit à Jacques et Isabelle : "Ecoutez, nous ne pouvons pas apprendre aux chevaliers ce qu'est la qualité ! Ils sont nos clients, vous vous souvenez ? C'est à eux de nous le dire !"

"Qu'est-ce que tu proposes ?" demanda Isabelle.

"Allons trouver les chevaliers et demandons-leur de nous donner leur définition de la qualité."

Ils firent cela. Ils effectuèrent le Tour de l'InterACTION, et ils découvrirent que pour les chevaliers, trois choses comptaient dans une Flèche Magique :

---

1. La flèche devait voler droit et atteindre la cible.
2. La flèche devait pénétrer à travers les écailles épaisses du dragon.
3. Pas de coup manqué : il fallait que la magie agisse dès la première fois, à chaque fois.

Tout le reste : les pointes astiquées et brillantes, les plumes aux couleurs harmonieuses..., etc, étaient des éléments secondaires par rapport à ces trois critères.

NOTE DE L'ATELIER DE :
Arthur RENOVETOI
Tour numéro Deux, Château de Malronne

Améliorer la qualité, c'est améliorer
ce qui est important pour le client

"Génial", dit Isabelle. "Maintenant nous savons vers quoi nous devons diriger nos efforts. Mais comment saurons-nous si nous améliorons vraiment la qualité ?"

"De la même façon que nous étions capables de dire si nous augmentions la quantité", dit Arthur. "En la mesurant."

"En la mesurant ?" demanda Isabelle. "Comment peut-on mesurer la qualité ?"

"On peut la mesurer parce que les chevaliers nous ont dit de façon précise quels étaient les éléments essentiels dans une Flèche Magique de qualité : Une flèche de qualité vole droit, pénètre à travers les écailles du dragon, et fait disparaître le dragon à tous les coups."

"Alors ?"

"Alors maintenant il faut que nous nous demandions ce qui rend une Flèche Magique parfaite", dit Arthur. Quelles caractéristiques permettent à une Flèche Magique de fonctionner correctement ? Quelles imperfections font qu'une Flèche Magique rate son coup ? Quand nous saurons cela, nous établirons des systèmes de mesures et commencerons à faire des progrès."

"Tu as raison", dit Isabelle avec ironie. "Tout ce qu'il y a de plus facile."

"Je ne dit pas que c'est facile", dit Arthur, "mais c'est ce que nous devons faire."

"D'accord, par quoi commençons-nous ?" demanda-t-elle.

"Par le Tour de l'ACTION", dit Jacques. "Nous avons besoin du Tour de l'ACTION pour réussir à faire ça."

La première partie du Tour de l'ACTION consistait à analyser la situation et à déterminer les problèmes. Pendant plusieurs jours, certains employés accompagnèrent donc les chevaliers quand ils partaient combattre les dragons. Les employés restaient en arrière, à l'abri du danger, et comptaient simplement combien de Flèches Magiques faisaient ce qu'elles étaient supposées faire.

Quand toutes les données furent rassemblées, on obtint le résultat suivant :

Sur cent Flèches Magiques, seulement quatre-vingt volaient droit ; vingt ne volaient pas droit, et du coup passaient complètement à côté du dragon.

Sur les quatre-vingt flèches qui touchaient le dragon, seulement soixante-quatre pénétraient à travers ses écailles ; seize rebondissaient et atterrissaient par terre.

Sur les soixante-quatre flèches qui parvenaient au cœur, seulement cinquante-et-une envoyaient le dragon dans la dimension parallèle d'où il était venu ; treize étaient inefficaces.

Par conséquent, sur cent Flèches Magiques, seulement cinquante-et-une fonctionnaient parfaitement et faisaient tout ce qu'une Flèche Magique était supposée faire ; quarante-neuf présentaient une défaillance quelconque.

"Maintenant je comprends pourquoi le Seigneur Bob voulait que nous produisions deux fois plus de flèches", dit Jacques. "Comme il n'y en a que la moitié qui produisent l'effet escompté... Enfin... son raisonnement était faux, mais je comprends pourquoi il nous a demandé de faire ça."

"Mais pourquoi est-ce qu'il y avait quarante-neuf flèches défaillantes ?" demanda Arthur.

"Pour le savoir", dit Jacques, "je crois qu'il va falloir entrer dans les détails techniques."

12

"Alors j'ai une idée", dit Isabelle. "Demandons aux magiciens qui travaillent dans le Donjon de la R. et D. Ce sont eux qui sont responsables de la conception des flèches. Si quelqu'un doit savoir, c'est bien eux."

Ils traversèrent la cour pour aller au Donjon de la R. et D., où travaillaient la plupart des techno-magiciens. Là, le Grand Techno-Magicien (ou GTM) leur accorda une audience, et quand ils lui eurent expliqué ce qu'ils voulaient, le GTM les emmena dans une grande salle où on avait rangé les dossiers d'archives. Le GTM ouvrit un tiroir, en tira un grand rouleau de parchemin, souffla dessus pour enlever la poussière, et le leur tendit.

"Qu'est-ce que c'est que ça ?"

"C'est une enquête de qualité que nous avons menée il y a quelques années. Je vous dirai toutes les raisons pour lesquelles les Flèches Magiques ne volent pas droit."

"Mais enfin, si vous, les magiciens, vous savez ce qui cause nos problèmes de qualité, pourquoi n'avez-vous rien fait ?"

"Ce n'est pas notre département", dit le GTM. "Les ordres que nous avons reçus du Roi étaient simplement de conduire l'enquête, pas de faire quoi que ce soit avec les résultats."

En effet, cela arrivait fréquemment dans le château. Il y avait beaucoup d'informations et beaucoup d'idées, mais personne n'en faisait jamais rien.

Jacques, Arthur et Isabelle ramenèrent le parchemin lourd et épais à la Tour numéro Deux et le parcoururent. Bien sûr, c'était écrit en Magiquois, le langage technique parlé uniquement par les magiciens avec leurs collègues magiciens, mais en déchiffrant un petit peu, les trois faiseurs-de-flèches comprirent le sens du texte.

Une partie du parchemin était particulièrement intriguante :

Il semblait que jadis, un Inconnu eût décidé : "Hé : quatre sur cinq, ce n'est pas mal." C'est-à-dire, que dans tous les cas, il y avait 80 pour cent de réussite pour chacune des fonctions attachées à une Flèche Magique.

80 pour cent des tiges de flèches (quatre sur cinq) gardaient leur trajectoire de tir quand elles étaient en l'air.

80 pour cent des pointes de flèches étaient suffisamment aiguisées et avaient juste le bon poids pour traverser les écailles du dragon et percer le cœur. Mais ces 80 pour cent de pointes efficaces n'étaient pas forcément attachées aux 80 pour cent des tiges de flèches qui volaient droit. Certaines des "bonnes" pointes de flèches étaient attachées avec des tiges qui rataient leur cible.

Pareil pour la magie : quatre-vingt pour cent du temps, la magie fonctionnait. Mais dans ces 80 pour cent des cas, la magie qui fonctionnait n'était pas toujours dirigée vers le cœur du dragon par une bonne tige avec une bonne pointe. Si la tige et la pointe de la flèche étaient défectueuses, la magie n'avait aucune chance de fonctionner.

Par conséquent, comme les magiciens le précisèrent, il existait une dépendance entre les différentes fonctions. Si une fonction présentait une défaillance, la flèche entière était ratée, et comme les chances qu'une fonction soit bonne étaient de 80 contre 20, les chances que sur une unique flèche les trois fonctions produisent l'effet escompté étaient bien, bien moindres.

"Eh bien", dit Arthur, "cela explique pourquoi les coups manqués sur le champ de bataille sont si nombreux."

En lisant la suite, les trois fabricants-de-flèches découvrirent que les magiciens avaient également identifié les causes de dysfonctionnement des Flèches Magiques.

"Il est écrit ici", dit Isabelle, qui comprenait le Magiquois mieux que les autres, "que quatre-vingt pour cent de toutes les défaillances de Flèches Magiques, quelle que soit la fonction défectueuse, ont pour origine un même phénomène."

"Vraiment ?" demanda Arthur. "Qu'est-ce que c'est ?"

"Les gremlins."

"Les gremlins ? Qu'est-ce que c'est, les gremlins ?"

"Vois-tu, les gremlins sont d'affreuses petites créatures qui rappliquent quand on ne fait pas attention , et qui bousillent tout", dit Jacques.

"Mais je n'ai jamais vu de gremlins dans le coin", dit Arthur.

"Evidemment", dit Isabelle. "Ils disent dans le parchemin que les gremlins sont invisibles."

"Invisibles ? Comment peuvent-ils être invisibles ?"

"Parce que les gremlins viennent de la même dimension parallèle que les dragons", dit Isabelle.

"Tu veux dire qu'ils peuvent se glisser dans cette dimension parallèle, et que nous ne les voyons pas, mais qu'ils nous voient ?"

"Oui. On les soupçonne même d'être les alliés des dragons, et de saboter notre travail pour que les dragons puissent s'amuser."

"Mais qu'est-ce que nous pouvons faire pour combattre des créatures invisibles d'une autre dimension ?" demanda Arthur.

"Il faut que nous protégions la Tour numéro Deux de l'action des gremlins", dit Isabelle.

C'est ainsi que les employés de la Tour numéro Deux se battirent contre les gremlins invisibles qui sabotaient leurs flèches.

Les employés déterminèrent d'abord précisément quelle était la Flèche Magique la plus efficace qu'ils pouvaient fabriquer avec les personnes et les outils qu'ils avaient à leur disposition. C'était une Flèche Magique imaginaire, qu'ils s'évertueraient à créer mais qu'ils ne réaliseraient jamais à cause des gremlins et des autres réalités.

Ensuite, ils donnèrent à cette Flèche Magique imaginaire des caractéristiques précises. Elle devrait mesurer tant ; peser tel poids ; les plumes devraient être disposées selon tel et tel angle, et ainsi de suite. Mais pour certaines caractéristiques, ils étaient moins précis.

Par exemple, la longueur des flèches était importante, mais elle n'était pas si importante que ça. Il valait mieux, pour des raisons esthétiques, que les flèches soient toutes de la même longueur. Mais si une flèche était un tout petit peu plus longue ou un tout petit peu plus courte, cela n'avait pas vraiment d'importance. C'était la même chose pour la couleur des plumes. Tant mieux si les plumes étaient assorties, mais ce n'était pas la préoccupation majeure des chevaliers : un dragon avait toujours le même nombre de chance de disparaître ou de ne pas disparaître, que les plumes soient vertes, jaunes, ou d'une quelconque autre couleur.

L'angle des plumes, par contre, comptait beaucoup. Si les gremlins le modifiaient juste un petit peu, la flèche ne volait pas droit. Il en était de même pour la tige qui devait être bien droite, la pointe qui devaient être dure et acérée, et la magie qui devait être fiable. Tous ces points étaient très importants, parce qu'ils influaient sur les caractéristiques de la flèche que les chevaliers considéraient comme essentielles. Sur ces points, les employés étaient très, très précis.

NOTE DE L'ATELIER DE :
Arthur RENOVETOI
Tour Deux, Château de Malronne

Améliorer en premier lieu ce qui est le plus
important pour le client

Ils avaient déjà appris à leurs dépens qu'ils ne pouvaient pas inventer ces informations tous seuls.

Pour créer la Flèche Magique idéale, il fallait qu'ils consultent d'autres personnes ; en particulier, les magiciens, les chevaliers, et la Directrice pouvaient leur donner des conseils précieux.

Une fois qu'ils eurent défini la flèche idéale, ils établirent des systèmes de mesure et de tests. Puis ils commencèrent à regarder si les flèches réelles se rapprochaient de la Flèche Magique idéale.

Grâce à ces mesures et à ces tests, ils pouvaient dire où les gremlins avaient sévi.

Par exemple, Arthur enregistrait très soigneusement ses observations par rapport au caractère rectiligne des tiges de flèches qu'il fabriquait. Quand les chiffres commençaient à dévier dans un sens ou dans l'autre, et que la différence avec la Flèche Magique idéale devenait significative, alors il savait que les gremlins invisibles avaient joué avec son tour à bois. Il s'arrêtait et réglait de nouveau le matériel... et les gremlins déménageaient pour aller embêter quelqu'un d'autre.

Lui et Natacha travaillaient ensemble pour que l'angle des plumes ne puisse plus être modifié par l'action des gremlins. Ils avaient eu l'idée de fabriquer un simple outil qui, systématiquement, ajustait les plumes selon le bon angle.

A chaque fois que Jacques terminait une pointe de flèche, il la testait sur une feuille de papier pour voir si elle tranchait comme un rasoir. Si tel n'était pas le cas, alors Jacques savait que les gremlins avaient fait des dégâts sur son aiguisoir. Avec le temps, il trouva de petits moyens pour protéger son aiguisoir des gremlins, de façon qu'il ne fut presque plus jamais déréglé.

Isabelle travaillait avec les magiciens sur un projet de bague spéciale. En passant la main au-dessus d'un carquois de flèches, celui qui portait la bague pouvait vérifier si la magie avait "pris" et si les flèches étaient activées. Dès qu'une flèche ne rayonnait pas de façon éblouissante en présence de la bague, Isabelle ou un des autres employés de la Salle Magique la retirait du carquois, puis essayait de déterminer ce que les gremlins avaient fait pour rendre la magie inefficace.

Quand ils eurent protégé des gremlins une partie du processus (ils commençaient par ce qui était le plus important), les fabricants-de-flèches se consacrèrent ensuite à une autre partie du processus (la deuxième par ordre d'importance). Et ainsi de suite.

NOTE DE L'ATELIER DE :
Arthur RENOVETOI
Tour Deux, Château de Malronne

Dans l'amélioration de la qualité,
aller toujours plus loin

La Lune du Dragon arriva.

Les chevaliers étaient constamment appelés au combat. Partout dans Malronne, les clairons retentissaient, demandant de l'aide.

Un jour, dans la période la plus critique de la Lune du Dragon, le Seigneur Bob sauta sur son cheval, partant seul au combat... quand il arriva sur les lieux, il fut glacé d'effroi.

Une seule trompette avait sonné l'alarme, mais quatre dragons lui faisaient face.

Ils avaient piégé des voyageurs qui étaient sur la route, loin de tout abri, et les dragons se préparaient à faire un grand pique-nique.

Le Seigneur Bob vérifia son carquois. Il y avait quatre dragons, mais il avait emporté avec lui une douzaine de Flèches Magiques. Il éperonna sa monture et partit au galop pour sauver les personnes qui étaient piégées.

Tout en cravachant sa monture, il sentit quelque chose bouger sur sa gauche, et quand il tourna la tête pour regarder, il y avait quatre dragons de plus, ce qui faisait huit en tout. Cela ne valait rien de bon.

Il savait par expérience que la moitié seulement de ses flèches avaient une chance de produire un quelconque effet. Si les flèches de son carquois étaient normales, seulement six ou peut-être sept seraient efficaces.

Néanmoins, il aurait peut-être de la chance, et s'il effectuait de bons tirs, alors peut-être qu'il pourrait maîtriser les huit dragons. Il donna donc de nouveaux coups d'éperons à sa monture.

Juste au moment où le Seigneur Bob arriva à portée du dragon le plus proche, quelque chose bougea sur sa droite. Il tourna la tête : quatre dragons supplémentaires étaient apparus soudainement pour se joindre à la fête. Douze en tout, et il était cerné.

Le Seigneur Bob estimait que dans quelques minutes, par un dragon ou par un autre, son derrière serait rôti. Le sien, ainsi que ceux de tous les voyageurs.

"Eh bien", se dit le Seigneur Bob, "c'est un bon jour pour mourir." Et il chargea.

Il tendit la corde de son arc, tira la première Flèche Magique... c'était parfait. Le dragon rétrécit de plus en plus et disparut dans un éclair de lumière.

La disparition du premier dragon laissa un trou dans le cercle des douze autres, et le Seigneur Bob en profita pour galoper droit devant lui.

Sa tactique produisit l'effet escompté. Les onze autres dragons, maintenant, le poursuivaient.

Il se retourna sur sa selle, tira une autre flèche par-dessus son épaule, et renvoya un autre dragon d'où il était venu.

Il se tourna encore une fois, tira par-dessus son autre épaule, même chose. Maintenant il ne restait plus que neuf dragons derrière lui.

Ensuite il eut un peu de chance. Son cheval s'engouffra dans un canyon étroit, trop étroit pour que tous les dragons puissent entrer côte à côte. Ils durent le suivre un par un.

Il sauta de son cheval et se tint debout, adossé à la paroi de pierre. A chaque fois qu'un dragon entrait dans le canyon, le seigneur Bob visait soigneusement... et tirait.

Les uns après les autres, les dragons tombaient. Neuf dragons, huit, sept.

A chaque flèche qu'il tirait, il s'attendait à ce qu'elle manque son coup, il attendait toujours la défaillance qui signifierait sa perte. Mais ces Flèches Magiques étaient parfaites.

Six, cinq, quatre, trois, dragons, deux. Ils disparaissaient au fur et à mesure que le Seigneur Bob tirait.

Finalement il ne resta plus qu'un dragon... et plus qu'une Flèche Magique. Allait-ce être celle-là qui manquerait son coup ? Allait-ce être cette pointe qui serait défectueuse et qui rebondirait sur les écailles du dragon ? Allait-ce être la Flèche Magique qui n'était pas magique ?

Son bras était fatigué. Il tendit la corde de son arc, et tandis que le dragon se cabra en arrière, prêt à se jeter droit sur lui, il lâcha la flèche et elle s'éleva dans les airs, allant droit au cœur du dragon. Il y eut un éclair de lumière aveuglant. Le dernier dragon avait disparu.

"Hourra !" dit le seigneur Bob.

Il avait fait une Journée à Douze Dragons.

Il remonta sur son cheval, sortit du canyon, et il se dirigeait de nouveau vers le château... quand il fut élevé dans les airs, saisi par les griffes du treizième dragon, qu'il n'avait pas repéré.

Le Seigneur Bob se préparait à mourir. Toutes les Flèches Magiques avaient parfaitement fonctionné, mais il n'en avait plus aucune. La mâchoire du dragon s'ouvrit toute grande. Le Seigneur Bob ferma les yeux.

Quand il revint à lui, il était étendu sur le dos, les yeux au ciel, et le Seigneur Charlie était là, lui demandant s'il allait bien.

"Qu'est-ce qui s'est passé ? Où est le treizième dragon ?"

"Nous l'avons eu", dit le Seigneur Charlie. "Les guetteurs du château ont vu que tu avais des problèmes et nous avons galopé comme des fous pour arriver ici à temps."

Le Seigneur Bob se mit sur ses pieds. Il y avait cinq autres chevaliers avec le Seigneur Charlie. Le Seigneur Bob émit un profond soupir de soulagement.

"Un sacré travail d'équipe", dit le Seigneur Bob.

Le Seigneur Bob et le Seigneur Charlie se remirent en selle pour rentrer au château. Une fois qu'ils furent sur le pont-levis, la première chose que fit le Seigneur Bob fut de demander à son écuyer laquelle des Tours avait fabriqué les flèches qu'il avait utilisées contre les douze dragons.

Son écuyer lui répondit, et le Seigneur Bob alla droit à la Tour numéro Deux.

Là, il rassembla tous les fabricants-de-flèches, leur raconta son histoire, et leur dit : "A partir de maintenant, les seules Flèches Magiques que j'emporterai avec moi seront celles de la Tour numéro Deux : c'est grâce à la qualité de votre production que j'ai pu faire cette Journée à Douze Dragons."

En même temps que cette victoire, une nouvelle couleur apparut pour les faiseurs-de-flèches de la Tour numéro Deux. Ils commencèrent à voir du bleu.

Le gris et l'obscurité de l'endroit avaient presque disparu. Il y avait presque toutes les couleurs à présent, et leur Tour commençait à ressembler... eh bien oui, à un arc-en-ciel.

13

L'histoire du Seigneur Bob et de sa Journée à Douze Dragons se répandit à travers le château. Bientôt, le Duc des Flèches en entendit parler et il se précipita dans la Salle du Trône pour le dire au Roi.

"... et ensuite le Seigneur Bob a dit qu'il n'emporterait avec lui, pour la bataille, que les Flèches Magiques fabriquées dans la Tour numéro Deux, et aucune autre", conclut le duc.

"C'est vrai ?" dit le Roi.

"Oui, Sire. Les chevaliers affirment maintenant que la qualité des flèches fabriquées dans la Tour numéro Deux est bien supérieure à celle des autres Tours !"

Le Roi se gratta la barbe. "Hum... Et la qualité dans les Tours numéros Un, Trois et Quatre ? Pourquoi leur qualité n'est pas aussi bonne que celle de la Tour numéro Deux ? Que font les fabricants-de-flèches de la Tour numéro Deux, que ne font pas les autres ?"

Paniqué, parce qu'il ne connaissait pas les réponses, le Duc des Flèches répondit : "Eh bien... ce sont trois excellentes questions, Votre Excellence. Permettez-moi de me retirer pour faire mon enquête personnelle et je reviendrai dans quelques instants avec les informations requises !"

"Non", dit le Roi, se levant de son trône, "Je viens avec vous. Je veux voir cela de mes propres yeux."

Le Roi et le Duc des Flèches parcoururent les corridors gris du château, descendirent les escaliers lugubres et pénétrèrent dans des salles où les employés trimaient dans le brouillard. Ils traversèrent la cour, lentement et en faisant bien attention, parce qu'ils voyaient difficilement où ils mettaient les pieds, mais soudain il n'y eut plus de brouillard.

Devant eux se tenait une tour en pierre avec un grand 2 peint sur le côté, et la tour entière était illuminée avec presque toutes les couleurs du spectre. On aurait dit que la tour était le centre d'un arc-en-ciel : les couleurs s'échappaient du toit et s'étendaient en larges courbes dans le ciel.

"Dites-donc", dit le Duc des Flèches, "c'est drôlement beau."

Le Roi, cependant, n'était pas impressionné outre-mesure par les arcs-en-ciel. Il voulait connaître la raison pour laquelle la Tour numéro Deux faisait une meilleure performance que les autres.

Lui et le Duc des Flèches entrèrent à l'intérieur, et virent des gens qui semblaient tous enveloppés d'une sorte d'énergie. Ce n'était donc pas la Tour de pierre qui produisait toutes les couleurs et la lumière qui perçait le brouillard ; c'était ces personnes, grâce à l'énergie qu'elles dégageaient.

"Votre majesté, Monsieur le Duc, que pouvons-nous faire pour vous ?" demanda Arthur Rénovetoi, qui fut le premier à les repérer.

"J'ai entendu dire que la Tour numéro Deux fabriquait les meilleures Flèches Magiques du château", dit le Roi.

"Je ne peux pas parler des autres Tours", dit Arthur, "mais je sais que nos flèches sont maintenant très efficaces et qu'elles s'améliorent de jour en jour."

"Mais comment le savez-vous ?" demanda le duc.

Arthur leur montra les chiffres qu'il enregistrait réguliè-rement sur les flèches qu'il fabriquait. "Je le sais parce que nous mesurons la qualité et la quantité des flèches que nous produisons, et parce que nous travaillons tous ensemble pour continuer à faire des progrès."

"Et combien d'or supplémentaire cela coûte-t-il de pro-duire des flèches d'une telle qualité ?" demanda le Roi.

"Mais cela ne coûte rien en plus", dit Arthur. "En fait, Maintenant que nous ne faisons pratiquement plus d'erreurs, que nous avons très peu de déchets, et que les chevaliers ont besoin de moins de flèches pour faire disparaître les dragons, nos flèches auraient plutôt tendance à permettre des économies."

Le Roi était clairement impressionné. "Comment se fait-il que les fabricants-de-flèches de la Tour numéro Deux soient devenus si bons ?"

"Eh bien", dit Arthur, "nous avons toujours essayé de faire des progrès, nous n'avons jamais laissé quoi que ce soit stopper notre avancée, et, ce qui est le plus important, nous avons réussi à impliquer tout le monde. Même la Directrice."

"Je vois", dit le Roi. "Et comment avez-vous réussi à faire ça ?"

"Ceci nous a aidé", dit Arthur, en leur montrant le *Livre de Magie du Magicien Zapp !* "Voyez-vous, il y eut ce magi-cien qui passa dans les environs, sauf qu'il n'était pas habillé comme un magicien..."

"Oui", dit le Roi. "Je connais cet homme."

Lui et le duc remercièrent Arthur qui leur avait accordé de son temps, puis ils flânèrent à travers la Tour. Ils parlèrent à la Directrice, regardèrent les Zapps qui fusaient dans un sens puis dans l'autre entre les employés, vérifièrent tout ce qu'Arthur leur avait dit. Puis ils s'en allèrent.

A quelques pas de la Tour numéro Deux, le brouillard était là de nouveau, épais comme de la soupe.

Ils tâtonnèrent jusqu'à la Tour numéro Trois et entrèrent à l'intérieur pour jeter un coup d'œil. Mais là, tout était toujours gris, sombre et lugubre.

"Est-ce que la Tour numéro Deux n'était pas comme ça, avant ?" demanda le Roi.

"Si, Votre majesté", dit le duc. "En fait, je trouvais que c'était la tour la plus sombre et la plus lugubre de toutes."

Le Roi parla à quelques personnes dans la Tour numéro Trois, mais il s'aperçut vite qu'il n'existait pas de travail d'équipe ici. Et ils n'avaient pas de Zapp ! pour leur donner de l'énergie. Aucun des fabricants-de-flèches n'effectuait ses propres mesures, ils n'avaient pas d'objectif, et ils ne savaient pas vraiment ce qu'étaient la qualité ou le chiffre de production. Ils continuaient simplement à travailler de la même bonne vieille manière que toujours.

Le Roi ne s'attarda pas longtemps. Il congédia le Duc des Flèches et marcha à travers le château pendant un moment, remarquant que chaque endroit où il allait était aussi morne et rempli de brouillard que la Tour numéro Trois. Finalement, il retourna à la Salle du Trône et s'y assit un instant, réfléchissant à ce qu'il avait vu.

Puis le Roi appela un des pages du château et lui dit : "Vous vous souvenez du magicien qui est venu nous voir il y a quelque temps ? A-t-il laissé un moyen de le joindre ?"

"Oui, Votre Majesté", dit le page. "Il a laissé un appareil étrange et magique, d'une sorte qu'on n'a jamais vu dans tout Malronne."

"Allez le chercher immédiatement."

Le page ramena l'appareil étrange et le tendit au Roi.

"Le magicien a prétendu que c'était connu dans son monde sous le nom de "téléphone portable avec touches à mémoire"", expliqua le page. "Il a dit que si jamais nous voulions le contacter, il fallait appuyer sur ce petit bouton argenté, juste ici."

Le Roi appuya sur le bouton ; on entendit une série de bips, suivie d'une voix : "Bonjour, David D. Ignatius, Magicien Zapp !. En quoi puis-je vous être utile ?"

"C'est le Roi de Malronne. Je crois qu'il faut que nous nous rencontrions pour parler."

Dans la Tour numéro Deux, quelques instants plus tard, arriva un homme habillé de façon étrange qu'Arthur Rénove-toi reconnut immédiatement.

"Hé, David ! Ça me fait plaisir de te voir !" dit Arthur en le hélant.

David s'approcha, serra la main d'Arthur, et dit : "Je vois que vous avez utilisé les tours de magie Zapp !. Bravo, vous avez fait du bon travail."

"Merci", dit Arthur. "Nous continuons à faire des efforts. Mais qu'est-ce qui te ramène au Château de Malronne ?"

"Simplement une autre réunion avec le Roi", dit David. "Il m'a chargé d'apprendre à tout le reste du château ce que vous avez appris dans la Tour numéro Deux. Nous allons essayer de Zapper tous les employés du château, des écuyers et des garçons d'écuries aux ducs, et au Roi lui-même."

"C'est une nouvelle géniale !" dit Arthur. "Ecoute, David, pendant que tu es ici, je me demandais si tu pourrais m'apprendre un nouveau tour de magie pour un objectif particulier."

"Bien sûr", dit David. "Qu'est-ce que tu essaies de faire ?"

"Eh bien... J'ai eu cette idée vraiment géniale, mais je n'arrive pas à la faire accepter", dit Arthur. "Laisse-moi te raconter ce qui s'est passé..."

Quelque temps auparavant, Arthur était à son établi, et réfléchissait à la façon dont il pouvait encore améliorer sa fabrication de tiges. Il regarda par hasard dans un coin, et vit une de ces minuscules flèches qu'il avait fabriquées jadis, quand il avait eu l'idée "révolutionnaire" de couper les tiges de flèches en deux. Il avait gardé un échantillon en souvenir.

Tout d'un coup, une nouvelle idée jaillit dans sa tête. La petite flèche avait été un échec parce qu'elle ne convenait pas pour les arcs des chevaliers. Mais si elle pouvait être tirée sans arc ? Le château pourrait peut-être alors économiser quelques paquets d'or, n'ayant pas à acheter autant de bois pour les tiges. Arthur s'enthousiasma.

Zapp !

Il prit un bout de bois long et droit, et au lieu de le transformer en tige de flèche, il en creusa l'intérieur pour en faire un tube.

Quelques jours plus tard, il le montra à ses amis.

"Qu'est-ce que c'est que ce machin-là ?" demanda Jacques.

"J'ai inventé le Canon à Souffle", dit Arthur.

Il procéda à la démonstration. Il inséra la minuscule flèche, porta le tube de bois à ses lèvres et souffla de toutes ses forces ; la petite flèche fila à travers la pièce et se planta dans le mur.

"Eh ben !" dit Jacques.

Puis Arthur montra son invention à la Directrice.

"Très intéressant", dit la Directrice. "Cela pourrait avoir des débouchés."

Ensemble, ils montrèrent donc le Canon à Souffle au Duc des Flèches, qui explosa de joie. Imaginez seulement tout le bois qu'ils pourraient économiser !

Le duc signa immédiatement une commande pour quelques échantillons de Canons à Souffle et un nombre limité de flèches miniatures. Quand ces produits furent fabriqués, on les livra aux chevaliers.

Tout fier de lui, donc, Arthur Rénovetoi attendit le succès du Canon à Souffle. Il attendit, attendit... et attendit.

Finalement, Arthur alla voir la Directrice et lui demanda : "Qu'est-ce qui se passe ? Qu'est-ce qui est arrivé à mon projet du Canon à Souffle ? Le Duc des Flèches trouvait l'idée géniale !"

Arthur se rendit chez les Chevaliers ; les nouveaux Canons à Souffle étaient entassés dans un recoin isolé, couverts de poussière et de toiles d'araignées. Les chevaliers utilisaient toujours les mêmes bons vieux arcs et les mêmes bonnes vieilles flèches. Aucun n'avait adopté le Canon à Souffle d'Arthur.

"Je suppose que tu as été vraiment déçu", dit David, qui avait écouté Arthur avec beaucoup de compréhension.

"Tu parles ! Je ne sais pas ce qui s'est passé", dit Arthur. "Même le Duc des Flèches trouvait l'idée géniale. Mais les chevaliers ne les utiliseront pas ! Je veux donc un tour de magie qui les forcera à utiliser mon idée du Canon à Souffle."

"J'ai bien peur que ce ne soit impossible", dit David.

"Ma magie ne peut pas forcer quelqu'un à faire quoi que ce soit. Mais, de toute façon, tu n'as pas vraiment besoin de ce genre de tour."

"Non ?"

"Non. En fait, tu disposes déjà de toute la magie nécessaire", dit David. "Mais dans ton empressement à mettre ton idée à exécution, il semble que tu aies oublié d'impliquer quelques personnes importantes."

"J'ai parlé à la Directrice", dit Arthur, "et j'ai parlé au Duc des Flèches. Puisqu'ils m'ont donné leur approbation, de qui d'autre avais-je besoin ?"

"Et les gens qui doivent utiliser ton idée, tes clients ?"

Arthur réalisa tout-à-coup pourquoi son idée avait été un échec. "J'ai oublié d'impliquer les chevaliers !"

Arthur et David le Magicien discutèrent pendant un moment, et ensuite Arthur décida de faire un nouvel essai.

Il alla voir les chevaliers, et tout en utilisant le Tour des Trois Clés, il commença à leur poser des questions. Il apparut qu'en effet les chevaliers étaient assez énervés : personne ne leur avait demandé leur avis sur le Canon à Souffle avant de le leur faire essayer sur le champ de bataille. Après tout, c'était eux qui affrontaient les dragons.

Mais les chevaliers avaient aussi une raison très concrète pour ne pas utiliser le Canon à Souffle : Personne dans tout le pays de Malronne n'avait des poumons assez puissants pour pouvoir enfoncer les petites flèches à travers les écailles épaisses d'un dragon. Ils avaient besoin d'un arc avec une grande puissance, et un Canon à Souffle... bon, vous avez compris.

En fait, comme l'apprit Arthur en discutant avec eux, c'était lié à un sujet de plainte plus profond qui était apparut ces jours-ci chez les chevaliers. Dans le passé, ce qui rendait les chevaliers très irritables quand ils rentraient chez eux le soir, c'est qu'ils devaient souvent poireauter pendant plusieurs minutes autour des dragons et tirer beaucoup de flèches pour les atteindre. Si la première flèche ne marchait pas, ils devaient envoyer une seconde flèche, et si la seconde ne marchait pas, une troisième, et ainsi de suite. Plus le chevalier devait poireauter devant le monstre et tirer, plus le dragon avait de chance de gagner.

Mais maintenant que la qualité des flèches était très bonne et qu'elle n'arrêtait pas de s'améliorer, d'autres préoccupations étaient venues au premier plan pour les chevaliers.

Comme l'expliqua le Seigneur Charlie : "Nous apprécions le fait que les fabricants-de-flèches aient amélioré la qualité. Et loin de nous l'idée de vous dire de laisser tomber votre effort. Nous voulons encore que la qualité s'améliore, pour qu'il n'y ait absolument plus de défauts. Mais avec quatre-vingt-dix-neuf Flèches Magiques sur cent qui fonctionnent parfaitement, nous sommes plus inquiets en ce qui concerne d'autres problèmes."

"Comme quoi ?" demanda Arthur.

Il apparut que désormais, la cause Numéro Un des passages à la casserole pour les chevaliers n'était pas la non-fiabilité des flèches ; c'était la distance très faible que les chevaliers devaient maintenir entre les dragons et eux pour que les flèches puissent pénétrer à travers les écailles. Ce dont ils avaient vraiment besoin, ce n'était pas de flèches plus performantes ; c'était d'arcs plus efficaces.

Arthur aurait été heureux de les aider s'il avait pu. Il y avait juste un tout petit problème : il s'y connaissait en flèches, pas en arcs.

Pourtant, il se sentit obligé de faire quelque chose pour les chevaliers. D'accord, le Canon à Souffle avait fait un flop. Mais peut-être qu'il pouvait trouver autre chose qui aurait plus de succès. Il alla voir la Directrice.

"Dites, Patron, qui s'y connaît en arcs ?" demanda Arthur. "Je veux dire... c'est un grand château, et il doit y avoir quelqu'un qui s'y connaît en arcs."

"Bien sûr, nous avons beaucoup de gens qui s'y connaissent en arcs", dit la Directrice. "Mais Archibald est le meilleur."

"Qui ?"

"Archi", dit la Directrice. "Archi-le fabricant d'Arcs."

"Archi s'y connaît en arcs ?"

"Archi connaît les arcs mieux que personne. Archi *construit* les arcs. Tous les chevaliers utilisent les arcs d'Archi. Pourquoi n'allez-vous pas lui parler ?"

Arthur alla à l'autre bout du château, trouva Archi-le-Fabricant-d'Arcs, et commença à lui expliquer le principe du Canon à Souffle. Mais Archi n'était pas très intéressé par le Canon à Souffle... jusqu'à ce qu'Arthur lui montre les nouvelles Mini-Flèches Magiques. A ce moment-là, Archi devint enthousiaste.

"Hé, c'est exactement ce que je cherchais !" s'exclama-t-il.

Archi sorti de sous sa table de travail un truc bizarre. C'était un long poteau en bois avec un court arc d'un côté, et de l'autre côté des manivelles pour tirer sur la corde, et une gâchette dessous.

Comme il n'avait jamais vu une chose pareille de sa vie, Arthur demanda : "Mais qu'est-ce que c'est que ça ?"

"J'ai appelé ça Arbalète", dit Archi. "C'est deux fois plus puissant qu'un arc ordinaire et beaucoup plus précis. Cela fait plus d'un an que je l'ai inventée, mais je n'ai jamais réussi à la faire fonctionner correctement parce que les flèches standard sont trop grandes et trop lourdes. Et je m'imaginais que je ne trouverais jamais les fabricants-de-flèches qui accepteraient de faire de plus petites flèches. Mais si nous pouvions combiner ton idée avec la mienne..."

C'est ce qu'ils décidèrent de faire.

Mais cette fois, avant de se lancer dans quoi que ce soit, Arthur Rénovetoi fit ce que lui avait conseillé David le Magicien. Il se demanda *qui il fallait impliquer.*

Depuis l"échec du Canon à Souffle, Arthur avait compris que les chevaliers devaient être placés tout en haut de sa liste. Si l'Arbalète succédait au Canon à Souffle, les chevaliers devaient être impliqués.

Par conséquent, Arthur se rendit chez les chevaliers et dit : "Qu'est-ce que vous diriez si les fabricants-de-flèches pouvaient vous donner de plus petites flèches qui seraient tout aussi efficaces, coûteraient moins cher à produire, seraient plus légères à porter... avec en plus un arc plus puissant qui pourrait tirer à travers les écailles les plus épaisses ou même à travers les dragons les plus grands, d'une distance bien plus grande et avec beaucoup plus de précision ?"

Evidemment, les chevaliers étaient séduits par l'idée.

"Super", dit Arthur. "Alors j'ai besoin de quelques personnes parmi vous qui pourraient nous accorder un peu de temps pour nous aider à développer ce que je viens de décrire."

Mais Arthur ne s'arrêta pas aux chevaliers.

Il alla voir la Directrice, lui expliqua que les chevaliers étaient très enthousiastes pour l'Arbalète, et lui demanda si elle avait une quelconque idée de la façon dont il fallait développer le projet.

La Directrice dit : "Je vais vous indiquer un groupe que vous devez impliquer : les techno-magiciens. Le Duc des Flèches en a vraiment entendu de toutes les couleurs par le Grand Techno-Magicien,

---

NOTE DE L'ATELIER DE :
Arthur RENOVETOI
Tour numéro Deux, Château de Malronne

"Impliquer les autres, cela signifie… aider les gens
à s'approprier une idée, afin qu'ils s'engagent
personnellement à la développer, à l'appliquer
et à assurer sa réussite.

David le Magicien

---

qui était scandalisé que nous eussions essayé d'introduire le Canon à Souffle sans que le Donjon de la R. et D. soit au courant. Et je dois l'admettre, le GTM n'avait pas tort ; les techno-magiciens auraient détecté les limites pratiques du Canon à Souffle avant que nous eussions dépensé le moindre gramme d'or pour sa production. Par conséquent, avant d'aller plus loin, pourquoi n'irais-je pas parler au GTM pour qu'il organise une réunion entre toi et un de ses magiciens de recherche ?"

Quelques jours plus tard, Arthur descendit dans le Donjon de la R. et D. pour rencontrer un techno-magicien appelé Stanislas.

"Une Arbalète, hein ?" dit Stanislas. "Il me semble que quelqu'un est déjà venu présenter cette idée il y a très longtemps."

"Vraiment ?" dit Arthur. "Eh bien, qu'est-il arrivé à ce projet ?"

"Viens ici", dit Stanislas. "Je vais te montrer."

Ils descendirent plus bas dans Donjon de la R. et D., jusqu'à une salle de stockage qui se trouvait à plusieurs étages au-dessous du niveau du sol. Stanislas ouvrit la porte. Arthur mit un pied dans la salle puis eut un sursaut d'effroi.

"Il y a des fantômes dans cette pièce !"

"Pas des fantômes. Juste des visions fantômatiques de rêves et d'idées qui ne sont jamais venues au jour", dit Stanislas. "Tu n'as rien à craindre. Entre."

Ils entrèrent dans la salle, et Stanislas commença à chercher parmi les visions vaporeuses qui y étaient stockées.

"Voyons... Ici nous avons la Lance Magique, l'Epée Auto-Aiguisante, et la Catapulte Enchantée", dit Stanislas, en désignant ces articles. "Oh, et là c'est mon préféré, le Super Etalon Mécanique et Magique. Il aurait galopé quatre fois plus vite qu'un cheval normal, si quelqu'un l'avait développé. Ah ! Là, dans le coin, voilà l'Arbalète."

Arthur essaya de toucher la vision de l'Arbalète, mais ce n'était encore qu'une idée et il ne put la saisir.

"Hé, Stanislas, il semble que beaucoup de ces idées soient vraiment géniales."

"Ces idées étaient géniales, en effet", dit Stanislas. "D'ailleurs, nous avons quelques autres salles de stockage à cet étage qui sont remplies d'idées qu'on avait trouvées médiocres ou même complètement stupides. Des trucs horribles. Je déteste aller dans ces pièces."

"Mais pourquoi le château n'utilise pas ces idées ? Je veux dire... les bonnes ?"

"Parce qu'à chaque fois, les gens qui nous amenaient ces idées géniales pensaient que c'était tout ce qu'ils avaient à faire", dit Stanislas. "Ils concevaient quelque chose en rêve, mais ils n'agissaient jamais beaucoup, et souvent ils ne faisaient rien du tout, pour faire en sorte que le rêve devienne réalité. Ils pensaient que le fait de trouver une idée suffisait à résoudre le problème. Par conséquent, leur génie et leur créativité n'aboutissaient jamais nulle part... en dehors d'ici, dans la Salle des Visions Vaporeuses Géniales.

NOTE DE L'ATELIER DE :
Arthur RENOVETOI

Tour numéro Deux, Château de Malronne

Ce n'est pas parce qu'on a trouvé une idée
qu'on a résolu le problème !

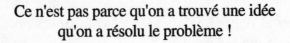

"Mais, Stanislas, nous *avons* une Arbalète. Ce n'est pas seulement une idée", dit Arthur.

"C'est vrai ?"

"Oui. Archi-le-Fabricant-d'Arcs l'a inventée et j'ai les Mini-Flèches Magiques qui vont avec !"

"Alors je dois dire que tu es un cas rare", dit Stanislas. "Tu es un des seuls qui soit non seulement venu avec une idée, mais qui ait transformé l'idée en réalité. Il n'y en a pas beaucoup comme toi. Mais bien sûr... c'est voué à l'échec."

"A l'échec ? Pourquoi ?"

Stanislas parla plus doucement. "Le Monstre du H.I.N."

"Qu'est-ce que c'est que ça?"

"Certains disent que c'est venu à la suite d'une expérience ratée. D'autres disent que ce fut délibérément provoqué par certains des techno-magiciens les plus ennuyeux pour augmenter la sécurité de l'emploi", dit Stanislas. "D'où qu'il soit venu, le Monstre du H.I.N. rôde dans les couloirs du Donjon de la R. et D. (et dans beaucoup d'autres endroits du château), détruisant la créativité et toute chance de réalisation pour des idées comme la tienne."

"Mais pourquoi ces lettres, H.I.N. ?"

"Hypnose de l'Invention et la Nouveauté !", dit Stanislas.

En effet, quand Arthur et Archibald présentèrent le concept de l'Arbalète au Grand Techno-Magicien, une énorme et monstrueuse créature grise sortit du sol, juste derrière la chaise du GTM, en plein milieu de leur conversation. La créature semblait faite de morceaux de fer récupérés. Elle agrippa de ses mains la tête du GTM. Ses pouces métalliques bouchèrent les oreilles du GTM et ses doigts s'étalèrent sur la tête du magicien, empêchant comme par magie toute nouvelle pensée de pénétrer dans l'esprit du GTM.

Curieusement, le GTM ne sembla pas le remarquer.

Quand Arthur dit : "Attention ! Il y a quelque chose derrière votre chaise !" le GTM prétendit qu'il ne voyait rien.

"Continuez votre présentation", dit le GTM, irrité. "Mon temps est compté". Et quant Arthur et Archimède en arrivèrent à la conclusion, le Monstre H.I.N. secoua la tête du GTM et, même si les mots sortaient de la bouche du GTM, ce fut le monstre qui dit : "Je ne vois aucun intérêt à poursuivre votre idée. De plus, vous deux, vous n'êtes pas des magiciens ! Si l'Arbalète avait eu un quelconque intérêt, nos propres techno-magiciens l'auraient déjà développée depuis des années !"

Mais à présent Arthur Rénovetoi avait suffisamment de Zapp ! pour que même un Monstre H.I.N. ne l'arrête pas.

Au lieu d'abandonner, Arthur demanda à ses clients, le Seigneur Bob et les chevaliers, de le supporter. Comme il avait impliqué les chevaliers très tôt, ils étaient maintenant convaincus que l'Arbalète était la bonne piste à suivre, et ils étaient prêts à tailler en morceaux quiconque dirait le contraire.

Une semaine plus tard, il y eut une deuxième réunion avec le GTM.

Cette fois, Arthur Rénovetoi amena avec lui non seulement Archi-le-Fabricant-d'Arcs, mais le Seigneur Bob avec quelques-uns de ses meilleurs chevaliers, et eux-mêmes avaient fait venir des invités de marque : le Duc des Flèches, le Duc des Arcs, et rien de moins que le Duc des Opérations.

Voyez-vous, Arthur Rénovetoi, malgré toutes ses bonnes intentions et ses bonnes idées, n'aurait jamais pu persuader les ducs de soutenir le projet de l'Arbalète, s'il avait été tout seul. Mais comme il avait le soutien des chevaliers, les ducs s'intéressèrent à la question.

La réunion commença et le Monstre H.I.N. apparut de nouveau. Il sortit du sol et serra ses mains autour de la tête du

GTM. Mais cette fois, bien qu'invisible, David le Magicien Zapp ! était aussi dans la salle (par l'esprit).

En effet, Arthur était allé voir David et lui avait demandé d'apprendre aux chevaliers une tactique plus efficace que celle qui consistait à tailler l'ennemi en morceaux. David leur avait appris les tours de magie Zapp !

"Bien sûr, les chevaliers, sont tout à fait conscients que les techno-magiciens et vous-mêmes êtes des gens brillants", dit le Seigneur Bob, cherchant à flatter le GTM.

Zapp !

"Mais nous pensons aussi", continua le Seigneur Bob, "qu'il existe certains impératifs en fonction desquels le Donjon de la R. et D. devrait reconsidérer le développement de l'Arbalète."

Et tandis que le Seigneur Bob disait cela, un éclair sembla unir toutes les personnes qu'Arthur avait amenées à la réunion. La lumière de l'éclair fit soudain un arc à travers la pièce...
Zapp !

Le corps du Monstre H.I.N., qui était composé de morceaux de fer, présenta tout-à-coup un trou béant. Un des pouces métalliques du monstre se dégagea d'une des oreilles du GTM.

Chaque fois qu'un chevalier ou qu'un duc parlait, et qu'il montrait qu'il soutenait l'Arbalète, en utilisant le Tour des Trois Clés, un nouveau trou apparaissait dans le fer de récupération du Monstre H.I.N., et un par un ses doigts se recourbèrent, délivrant l'esprit du Grand Techno-Magicien.

Bientôt il fut évident que le Monstre, s'il paraissait invincible, n'était rien d'autre qu'une coquille fragile autour d'un noyau creux.

Finalement Arthur Rénovetoi clôtura la réunion en disant : "Honnêtement, nous ne pouvons pas développer l'Arbalète tous seuls. Nous aimerions beaucoup bénéficier de l'aide du Donjon de la R. et D...."

Zapp !

Sur ce, le Monstre H.I.N. s'évanouit et devint juste un tas de pièces détachées gisant sur le sol. Le GTM dit qu'il suivrait personnellement l'affaire et qu'il chargerait Stanislas ainsi que plusieurs techno-magiciens confirmés de s'occuper du projet de l'Arbalète.

Zapp !

Arthur Rénovetoi et son équipe spéciale de chevaliers, de faiseurs-de-flèches ou de faiseurs-d'arcs, et de techno-magiciens travaillèrent dur, mais cet acharnement au travail ne fut pas ce qui permit au projet de l'Arbalète d'avancer si rapidement. Pour qu'un groupe d'employés si hétéroclite et si large reste motivé et pour qu'il aille toujours de l'avant, malgré les déconvenues et les problèmes, il fallut beaucoup de Zapp !

Même quand ils eurent obtenu un prototype qui fonctionnait, le vrai travail ne faisait que commencer.

Ils firent par exemple une chose très importante : ils prirent du recul par rapport à leur invention, et se demandèrent à quels types de difficultés les utilisateurs risqueraient d'être confrontés.

Cette réflexion leur permit de prendre conscience que les chevaliers n'étaient pas entraînés à utiliser l'Arbalète. Par conséquent, l'équipe projeta d'organiser des cours d'entraînement chez les chevaliers. Ils demandèrent également aux chevaliers d'emmener l'Arbalète sur le champ de bataille et de la tester. Ainsi, ils découvrirent que l'Arbalète était plus lourde que l'arc et qu'elle serait plus difficile à diriger. Ils développèrent donc une bandoulière spéciale pour aider les chevaliers à supporter le poids de cette arme.

Puis ils durent engager le processus de production de l'Arbalète. Pour les Mini-Flèches Magiques, la plupart des outils et des procédés de fabrication des flèches durent être adaptés. Les fabricants-d'arcs, de leur côté, durent établir un nouveau procédé pour fabriquer l'Arbalète elle-même.

Pendant ce temps, David le Magicien travaillait avec eux pour que l'équipe de l'Arbalète soit aussi Zappée que possible. Il leur apprit beaucoup de petits tuyaux et de petits trucs pour que le Zapp ! continue à circuler librement et régulièrement.

Enfin les premières Arbalètes et les Mini-Flèches Magiques furent prêtes à être utilisées sur le champ de bataille.

La première fois que le Seigneur Bob fut appelé au combat et qu'il dut affronter un dragon avec la nouvelle Arbalète, il s'aperçut qu'il pouvait s'arrêter à cinq cents mètres, tirer, et expédier le monstre dans l'autre monde sans être une seule fois à portée de ses flammes.

En quelques lunes, la supériorité de l'Arbalète sur l'arc traditionnel fut évidente. Non seulement les chiffres des chevaliers sur la sécurité s'améliorèrent de façon radicale, mais le ratio de dragons touchés augmenta également. Grâce à l'Arbalète, les chevaliers n'avaient plus besoin de perdre du temps à galoper autour du dragon en esquivant les coups de griffe, les coups de dents, et les flammes crachées par la bête, afin d'approcher suffisamment pour tirer. Ils pouvaient maintenant sauter en selle, se débarrasser du dragon grâce à un tir enfantin, et continuer à galoper vers le dragon suivant.

NOTES DE L'ATELIER DE :
Arthur RENOVETOI

Tour numéro Deux, Château de Malronne

Les Tuyaux de David le Magicien
pour le travail en équipe

- Ecrivez une charte ou un résumé de la mission ; placardez ce document dans une pièce commune à toute l'équipe.

- Ecrivez des objectifs clairs approuvés par tout le monde ; rappelez-les au début de chaque réunion.

- Définissez les rôles et les responsabilités individuelles, et assurez-vous qu'ils sont tous clairs et significatifs.

- Redéfinissez les rôles et les objectifs à court terme au fur et à mesure que les projets et les tâches changent.

- Essayez d'équilibrer les besoins individuels et les capacités avec les rôles qui sont attribués.

- Etablissez des procédures pour résoudre les conflits.

- N'interrompez pas : quand quelqu'un parle, laissez-le aller au bout de son idée.

- Précisez l'information que vous ne comprenez pas.

- Parlez-vous entre les réunions.

NOTES DE L'ATELIER DE :
Arthur RENOVETOI

Tour numéro Deux, Château de Malronne

Les Tuyaux de David le Magicien
pour le travail en équipe *(suite)*

- Laissez chacun exprimer son opinion avant de prendre une décision.

- Encouragez les idées et les initiatives et utilisez-les.

- Acceptez les critiques et émettez des critiques constructives.

- Affrontez ouvertement les mécontentements.

- N'allez pas de l'avant tant que l'équipe n'a pas atteint un consensus.

- Ne laissez pas le mécontentement s'amplifier et provoquer une crise.

- Donnez au chef de l'équipe une appréciation immédiate, constructive et sincère sur ce qui est accompli (les chefs d'équipes sont plus rassurés si l'appréciation se fait au grand jour, même si les sentiments exprimés sont négatifs).

- Impliquez le chef d'équipe dans les évènements-clés et les décisions (même si les membres de l'équipe sont pour la plupart capables de se débrouiller seuls).

Bientôt, tous les chevaliers eurent troqué l'arc contre l'Arbalète. Il n'existait aucun autre château dans le Monde Magique qui eût un moyen si efficace de contenir la menace du dragon, alors que celle-ci devenait de plus en plus sérieuse.

NOTE DE L'ATELIER DE :
Arthur RENOVETOI

Tour numéro Deux, Château de Malronne

Une bonne idée, c'est une idée qui a été mise en place... et que l'on continue à appliquer !

Non moins importante fut la nouvelle prise de conscience qui naquit grâce au projet de l'Arbalète. Jamais auparavant on n'avait vu autant de groupes différents dans le Château de Malronne travailler ensemble avec tant de succès. Grâce à l'énergie magique du Zapp !, ils commençaient à sentir une connection entre eux.

Ils n'étaient pas seulement des fabricants-de-flèches, des fabricants-d'arcs, des chevaliers, des ducs ou des techno-magiciens. Chacun d'entre eux était un chasseur de dragons, quel que soit sa spécialisation.

Avec cette prise de conscience apparut la dernière couleur de l'arc-en-ciel... violet.

David le Magicien Zapp ! avait appris à tout le reste des employés du château les tours de magie dont ils avaient besoin pour travailler ensemble harmonieusement, et ainsi ils obtinrent le spectre complet : rouge, orange, jaune, vert, bleu et violet... l'arc-en-ciel entier.

NOTE DE L'ATELIER DE :
Arthur RENOVETOI

Tour numéro Deux, Château de Malronne

Nous ne sommes pas seulement
des Fabricants-de-flèches, des Chevaliers,
des Ducs ou des Magiciens. Nous sommes tous
des Chasseurs de Dragons avec une mission
commune. Nous avons besoin de la Magie
de chacun pour gagner.

14

L'Arbalète constitua un progrès considérable, une vraie invention révolutionnaire, non seulement pour des raisons techniques, mais aussi à cause du Zapp ! qui avait aidé à réaliser ce projet. Ce n'est pas là, cependant, que notre histoire se termine.

Un matin, le Roi appela tous les employés du Château dans la cour et annonça : "La Lune du Dragon est enfin passée ! Je voudrais tous vous féliciter ! Grâce à vos nombreux efforts, les dragons ont été tenus en échec ! Au moins pour l'instant."

Au déjeuner, Jacques, Arthur et Isabelle commencèrent à se poser des questions. Que voulait dire le Roi en précisant : "Pour l'instant" ?

Quand ils eurent fini de manger, ils allèrent en parler à la Directrice.

"J'ai posé moi-même la question au duc", dit la Directrice. "Ce que le Roi voulait dire, c'est que les choses changent vite. Aujourd'hui la crise est passée. Nous maintenons nos positions. Mais les dragons deviennent de jour en jour plus forts et plus intelligents... de même que les autres châteaux. Je viens de voir une note du Duc du Marketing disant que les autres châteaux avaient entendu parler de l'Arbalète et qu'ils étaient déjà en train de développer la leur. Même si nous avons aligné nos prix sur ceux des châteaux environnants, qu'est-ce qui arrivera si ces châteaux baissent encore leurs tarifs ? Trouverons-nous jamais un moyen pour reconquérir les habitants de Malronne qui ont choisi le Château Colossal ? Alors, qui sait de quoi sera fait le lendemain ?"

Il y avait également une autre angoisse qui s'était répandue dans la Tour numéro Deux (ainsi que dans les Tours numéros Un, Trois et Quatre). C'était une angoisse discrète, dont on ne parlait presque pas, mais dont l'objet était presque aussi effrayant que les dragons eux-mêmes.

Jacques fut le premier à l'exprimer : "Vous savez, je me demandais ce que nous allions tous faire quand les fabricants-de-flèches des autres tours auraient fait autant de progrès que nous."

"S'ils continuent à faire des progrès", dit Isabelle, "nous aurons bien assez de flèches de haute-qualité pour vaincre les dragons, quelque soit le nombre de dragons."

"Ouais", dit Jacques, "c'est ce qui m'inquiète."

"Je ne te suis pas."

"Je crois que nous risquons d'avoir trop de fabricants-de-flèches par rapport à la production nécessaire", dit Jacques.

"Je n'avais pas pensé à cela", dit Isabelle. "Je suppose que c'est au Roi, aux ducs et aux patrons de penser à ces choses-là."

"Ecoutez", dit Jacques, "je crois qu'il est peut-être temps que nous nous mettions tous à y réfléchir."

Jacques posa le problème avant les autres fabricants-de-flèches de la Tour numéro Deux. Et dans un certain sens c'était le problème le plus difficile qu'ils eussent jamais affronté.

"Maintenant que la crise est passée", dit Natacha, "Pourquoi ne recommençons-nous pas à faire les choses comme avant ?"

"Natacha, il n'y a pas moyen de revenir en arrière", dit Jacques. "Nous devons continuer à aller de l'avant."

"Mais... Et si cela signifie que nous ne pouvons plus être des fabricants-de-flèches ?" demanda Lacrampe. "Qu'allons-nous faire ?"

"Dans ce cas", dit Jacques, "il faut que nous trouvions de quelle autre manière nous pourrions rapporter de l'or au château."

"Mais la fabrication des flèches, c'est tout ce que je connais !"

"Attends une minute !" dit Jacques. "Il y a quelques lunes, tu aurais dit que l'attachage des ficelles était tout ce que tu connaissais. Mais grâce au Zapp ! et à tous les changements que nous avons créés ici, tu connais maintenant tous les métiers de la Tour. Nous avons tous appris comment faire des progrès. Continuons à avancer ! Continuons à apprendre ! Trouvons de nouveaux moyens pour aider les clients du château !"

Mais les faiseurs-de-flèches n'étaient pas les seuls, à ce moment-là, à penser à l'avenir. Les ducs y pensaient aussi.

Voyez-vous, les ducs n'étaient pas des machines. Quand ils n'étaient pas mis sous pression, à la fois par le Roi et les uns par les autres, pour concocter des Plans d'Amélioration Rapide, les ducs montraient souvent qu'ils étaient intelligents, qu'ils avaient beaucoup de connaissances, et qu'ils étaient capables d'obtenir des résultats.

Lors de l'une de ses visites, David le Magicien avait implanté un atelier dans le château, et avec l'aide de plusieurs apprentis, il avait enseigné aux ducs tous les tours de magie Zapp ! que les fabricants-de-flèches avaient appris... et quelques autres, réservés à ceux qui avaient l'autorité des ducs et des rois.

Un matin, plusieurs ducs (le Duc des Flèches, le Duc du Marketing, et le Duc des Opérations) étaient assis autour d'une table dans un des halls superbes du Château, et discutaient de l'avenir.

"Maintenant que la Lune du Dragon est passée", dit le Duc des Flèches, "et que nous contrôlons de mieux en mieux la menace du dragon, il faut que nous cherchions de nouveaux créneaux."

"De nouveaux créneaux ?" demanda le Duc des Opérations. "Comment ça ?"

"Des créneaux qui nous permettent d'être utiles aux habitants de Malronne", dit le Duc des Flèches.

"Je suis d'accord !" dit le Duc du Marketing. "Et le plus tôt sera le mieux. Je viens d'apprendre que le Château Colossal est en train de transformer son aile sud en un parc d'attraction ! Et le comte Discount se lance dans la mode vestimentaire ! Il faut que notre château prépare de nouveaux produits et de nouveaux services pour le confort des Malronniens, sinon nous risquons encore une fois de perdre des habitants dans la compétition !"

"Mais nous n'y connaissons rien dans les parcs d'attraction, ni dans la mode vestimentaire", dit le Duc des Opérations. "Le Château de Malronne a été conçu pour combattre les dragons, et c'est à quoi nous devrions nous en tenir."

"C'est un raisonnement très sage", dit le Duc du Marketing. "Mais nous pourrions nous développer en créant des entreprises à risques partagés."

"Et qui effectuera le travail dans ces nouvelles entreprises ?" demanda le Duc des Opérations.

"Mes fabricants-de-flèches", dit le Duc des Flèches.

Le Duc des Opérations lui lança un regard très sceptique.

"Dans quelques lunes, certains fabricants-de-flèches de talent deviendront inutiles à la production de Mini-Flèches Magiques, puisque la demande aura baissé. Cela n'a aucun sens qu'ils continuent tous à augmenter la production de flèches... mais le bon-sens serait d'employer leur énergie dans la production d'autres biens que les habitants de Malronne jugeront très utiles."

"Mais ils sont de simples fabricants-de-flèches !" répliqua le Duc des Opérations, qui avait l'air de dire : "Et ils ne seront jamais que cela."

En fait, il y avait du vrai dans cette réflexion.

Gilbert Douli, par exemple, allait probablement rester assistant à la fabrication des pointes de flèches (ou quelque chose d'approchant) jusqu'à la fin de sa carrière. Mais, comme le savait maintenant le Duc des Flèches, il y avait aussi beaucoup de fabricants-de-flèches qui étaient capables de beaucoup plus.

"Je crois que tu risques d'avoir quelques surprises", dit le Duc des Flèches au Duc des Opérations : "j'ai demandé à plusieurs fabricants-de-flèches, et à quelques autres personnes également, de se joindre à nous aujourd'hui."

Il fit un signe de tête à un de ses ducs-assistants, qui ouvrit la porte et fit entrer Arthur, Jacques et Isabelle. A la suite des trois fabricants-de-flèches entrèrent le Seigneur Bob, qui représentait les chevaliers, et Stanislas, du Donjon de la R. et D.

"Ces trois fabricants-de-flèches sont venus me voir récemment et m'ont demandé s'ils ne pouvaient pas participer à nos efforts", dit le Duc des Flèches. "Par conséquent, pourquoi ne pas utiliser le Tour de l'InterACTION et étudier les alternatives possibles ?"

"Excellente suggestion", dit le Duc du Marketing.

Zapp !

Ils commencèrent par déterminer ce qu'ils voulaient accomplir et pourquoi c'était important. Dans quel type d'entreprise devait-on canaliser l'énergie des fabricants-de-flèches pour satisfaire la clientèle de Malronne ?

"Précisons certains détails", dit Isabelle. "Premièrement, combien de fabricants-de-flèches seraient disponibles ?"

"Jusqu'à cinquante pour cent", dit le Duc des Flèches.

"La majorité des Malronniens pourraient-ils et voudraient-ils dépenser leur or ailleurs que dans la protection anti-dragons ?" demanda Arthur.

"Certainement. Des paquets d'or, pour certains d'entre eux", dit le Duc du Marketing. "Mais les habitants ne voudront se séparer de leur or que pour une chose à laquelle ils accordent une réelle valeur."

"Bon d'accord", dit Jacques. "Que pourrions fabriquer ou faire, que les Malronniens aient envie d'acheter ?"

Là, ils commencèrent à développer des idées et des possibilités.

"Ecoutez", dit le seigneur Bob, "Je ne sais pas quel pourrait être le rôle des faiseurs-de-flèches dans une entreprise comme celle-là, mais parmi les habitants que j'ai sauvés, beaucoup apprécieraient énormément un temps de réponse plus court. J'ai le pressentiment qu'au moins quelques uns d'entre eux paieraient même un supplément pour un service plus rapide."

"Voici une autre possibilité", dit Stanislas. "En bas, dans

les Salles de Stockage des Visions Vaporeuses, il y a beaucoup d'idées géniales qui pourraient être utiles aux habitants. Quelques unes, je crois, pourraient être développées assez rapidement."

"Pourquoi n'avons-nous pas développé ces idées avant ?" demanda le Duc du Marketing.

"Pour une simple raison : nous avons été trop occupés à combattre les dragons", dit Stanislas. "L'autre raison, c'est que nous n'avons jamais eu assez de Zapp ! pour former une véritable équipe qui se serait mobilisée autour d'une de ces idées, aurait combattu les gremlins et les Monstres H.I.N., et aurait fait que ces visions deviennent réalités."

"En parlant de visions", dit le Duc des Opérations, "quoi de neuf sur les Pays de l'Au-delà ?"

A l'évocation des Pays de l'Au-delà, tout le monde tressaillit autour de la table.

"Mais... mais personne n'a jamais vu les Pays de l'Audelà !" dit le Duc des Flèches.

"C'est loin, les Pays de l'Au-delà ?" demanda Isabelle.

"Ils s'étendent par-delà les montagnes et au-delà des mers", dit le seigneur Bob. "Et depuis longtemps je me dis que quelqu'un devrait aller voir ce qu'il y a dans ces contrées. Pourquoi ne demanderais-je pas la permission au Roi d'envoyer quelques chevaliers errants pour qu'ils aillent faire des observations là-bas ?"

Puis ils commencèrent à décider d'actions concrètes.

Le Duc du Marketing s'occuperait de la réalisation d'une enquête auprès des habitants, pour savoir quelle était la réelle valeur qu'ils accordaient à la rapidité du service.

Stanislas ferait une à une toutes les salles de stockage et sélectionnerait quelques-unes des Visions Vaporeuses les plus prometteuses, en évaluant à quelle vitesse elles pourraient être développées et combien d'or elles pourraient rapporter.

Le Seigneur Bob demanderait au Roi la permission d'explorer les Pays Lointains.

Arthur, Jacques et Isabelle, quant à eux, sonderaient leurs collègues pour découvrir éventuellement des talents et aptitudes cachés, et pour déterminer les degrés de motivation par rapport à une nouvelle entreprise. Puis ils se réuniraient à nouveau pour passer à de nouvelles étapes.

Zapp !

Le "truc", pour monter une nouvelle entreprise, c'est d'avancer vite, intelligemment, et bien.

Les ducs se disaient (et ils avaient raison) que si le développement traînait, soit le Roi s'impatienterait et se désintéresserait du projet, soit les autres châteaux monteraient l'entreprise avant eux, et leur raviraient des habitants. Les ducs firent donc tous les efforts possibles pour que les choses avancent vite.

A peine quelques lunes plus tard, dans la Salle du Trône, ils se rassemblèrent pour présenter leurs plans au Roi, attendant son approbation pour commencer à agir. Avec les ducs étaient réunis des chevaliers, des fabricants-de-flèches, et des magiciens.

"Votre Majesté", dit le Duc des Opérations, "nous sommes ici aujourd'hui pour vous présenter un projet en quatre parties qui permettra une utilisation productive de toutes les ressources du château, y compris nos nombreux employés très doués ; qui améliorera la vie et le confort général de tous les Malronniens ; qui permettra de faire revenir beaucoup de nos anciens habitants qui se sont installés dans d'autres royaumes ; et qui, par là-même, amènera une sacré quantité d'or supplémentaire dans le Coffre au Trésor."

"Cela m'intéresse", dit le Roi. "Surtout la dernière partie. Agissez !"

Le plan était le suivant :

Les quatre tours, qui avaient exclusivement fabriqué des flèches jusqu'à présent, travailleraient désormais en tant qu'entreprises bien différenciées dont l'objectif serait de gagner de l'or. Chacune aurait sa propre mission, ses propres évaluations, ses propres objectifs.

La Tour numéro Un serait consacrée à la traditionnelle lutte contre les dragons, et continuerait à améliorer la qualité et la quantité des Mini-Flèches Magiques.

La Tour numéro Deux serait transformée en bureaux pour un groupe dont la mission serait d'améliorer le temps de réponse des chevaliers ; elle serait rentable en elle-même grâce à la vente des suppléments de service.

"Voyez-vous, Votre Majesté", dit Isabelle, "nous avons découvert que pendant leurs heures de service, les chevaliers passaient quatre-vingt pour cent de leur temps non pas à combattre les dragons, mais à faire des allers-et-retours entre le château et les lieux de combat. Cela fatigue les chevaux et c'est une perte de temps, mais c'est nécessaire parce que les chevaliers ont besoin de se ravitailler en Mini-Flèches Magiques et en provisions diverses."

"Nous projetons de réduire le temps de trajet pour les chevaliers", dit Jacques, "et donc d'augmenter la satisfaction du citoyen, en établissant plusieurs points de ravitaillement dans les environs. D'anciens fabricants-de-flèches comme moi-même sortiront chaque jour et iront stocker dans ces points de ravitaillement des Mini-Flèches Magiques et des provisions diverses, par exemple du foin pour les chevaux, pour que les chevaliers puissent continuer à patrouiller dans les environs et réagissent beaucoup plus vite dès le repérage des dragons."

"Aucun autre château dans tout le Monde Magique ne dispose d'un tel système", dit le Duc du Marketing. "Nous estimons que le temps de réponse moyen tombera d'une demi-heure à cinq minutes."

Le Roi fit un signe d'approbation. "Bien. Et la Tour numéro Trois ?"

"Regardez, Votre Majesté", dit Stanislas, le techno-magicien. Et il renversa le contenu d'une tasse de café sur le tapis rouge du Roi. Il tira ensuite de sa manche une longue baguette avec une étoile scintillante au bout. "Permettez-moi de vous présenter la Baguette Magique Nettoyante."

Stanislas agita la baguette au-dessus du café qu'il avait renversé et en un clin d'œil le tapis rouge était de nouveau propre.

"Impressionnant", dit le Roi.

"Cette baguette a une capacité de mille et un nettoyages ménagers, et elle sera disponible en magasin, à travers tout le pays de Malronne, avant les vacances", dit Stanislas.

"Qui les fabriquera ?" demanda le Roi.

"Moi", dit Arthur Rénovetoi. "Moi et mon équipe de fabricants-de-flè... euh... -de-baguettes. Nous installerons notre atelier dans la Tour numéro Trois pour fabriquer ces Baguettes Magiques Nettoyantes et assurer le service-après-vente, et nous fabriquerons aussi beaucoup d'autres produits très utiles que Stanislas et les techno-magiciens continueront à développer."

"Très bien", dit le Roi. "Et la Tour numéro Quatre ?"

"Votre Majesté", dit le Seigneur Bob, "les chevaliers que nous avons envoyés explorer les Pays de l'Au-delà sont revenus avec des informations importantes. Ils ont galopé de long en large et ont découvert que derrière les montagne et au-delà des mers il y avait beaucoup de pays où les dragons se promenaient en toute liberté et provoquaient la misère des habitants."

"Sans blague. Est-ce qu'il y a beaucoup de dragons ?" demanda le Roi.

"Des hordes", dit le Seigneur Bob. "Et beaucoup d'autres monstres les accompagnent."

"N'ont-ils ni châteaux, ni chevaliers, ni Flèches Magiques pour les protéger ?"

"Rien de tout cela, Sire", dit le Seigneur Bob. "Par conséquent je prévois d'utiliser la Tour numéro Quatre pour entraîner un nouveaux corps de chevaliers et de fabricants-de-flèches. Notre mission sera d'adapter les outils et les tactiques du combat de dragon pour le besoin exclusif de ces régions et d'étendre nos services de lutte anti-dragon pour aider les citoyens des Pays de l'Au-delà."

"Excellent !" s'écria le Roi. "Vous avez mon entière approbation ! Faisons cela ! Ecrasons à plates coutures le Comte Discount et le Château Colossal, avant qu'ils ne puissent s'apercevoir de ce qui les frappe ! Que cela arrive enfin !"

Zapp !

Ainsi commença une grande période dans l'histoire du Château de Malronne.

A l'intérieur des quatre équipes, il y avait une place pour chaque fabricant-de-flèches, même si beaucoup d'entre eux n'étaient plus des fabricants-de-flèches.

Avec le temps, le Château de Malronne avait vaincu tous les autres châteaux en termes de rapidité du service et grâce à l'excellence de ses nouveaux produits.

Avec la découverte des dragons dans les Pays l'Au-delà, le château s'était mis à vendre dans ces contrées des services dont les citoyens avaient le plus grand besoin, et il fallut au bout d'un moment faire passer des petites annonces dans *Les Informations de Malronne* pour embaucher plus de Malronniens.

Grâce à des progrès continus, le Château de Malronne finit par reprendre la première place dans le *Dragon Digest* pour la protection anti-dragons.

Puis, avec le temps, le Pays de Malronne redevint paisible et prospère, tout le monde gagnant plus qu'assez d'or pour vivre une vie heureuse.

Une autre chose n'était pas négligeable : Arthur, Jacques, Isabelle et les autres employés du château trouvaient que, grâce à la Magie Zapp ! générée par les tours de magie de David, les moments agréables de la vie n'étaient plus limités aux soirées et aux week-ends, mais existaient également au travail.

Quand David le Magicien étendit l'enseignement de ses tours de magie à tout le château, les éclairs de Zapp ! devinrent de plus en plus importants. Ils se mirent à fuser non seulement entre les gens, mais entre les équipes et entre les tours, et à une telle fréquence qu'au bout d'un moment le château entier s'illumina. Ce n'était plus simplement un éclair de Zapp ! par-ci et un autre par-là, mais une lumière continue.

Le brouillard se leva. Le château se mit à briller. Et dans la lumière du Zapp !, on s'apercevait maintenant que la plupart des murs et des remparts dans le château n'étaient que des illusions inutiles. Ils disparurent ; ainsi, le château commença à ressembler beaucoup moins à une forteresse, et beaucoup plus à un endroit agréable pour faire du bon travail.

Le Zapp ! devint plus qu'une seule couleur ou plusieurs couleurs, il devint toutes les couleur combinées, et plus qu'un arc-en-ciel... il devint la pure lumière du jour.

De son côté, le Roi, bien sûr, devint très fier de tous les employés du château, et il avait raison.

Souvent, il montait tout en haut d'une des plus hautes tours et observait avec émerveillement le Zapp ! qui circulait d'un employé à l'autre. Le Roi lui-même apprenait les tours de magie Zapp ! de David le Magicien, et faisait tout ce qu'il pouvait pour augmenter le Zapp ! dans le Château de Malronne.

Mais depuis quelque temps maintenant le Roi avait entendu raconter par plusieurs personnes l'histoire du Zapp ! et de la façon dont il était apparu, plusieurs lunes auparavant, dans la Tour numéro Deux.

Il se demandait donc qui était responsable des premiers succès qui avaient sauvé ensuite l'ensemble du château. Il interrogea l'ancienne Directrice de la Tour numéro Deux, qui avait eu une promotion et était maintenant Duchesse des Nouveaux Produits.

"Arthur, Jacques et Isabelle", répondit la Duchesse. "En fait, si Votre Majesté voulait bien considérer une suggestion..."

"Mais certainement !", dit le Roi.

"Votre Majesté devrait vraiment donner une récompense particulière à ces trois employés. En effet, si tous les employés du château méritent d'être félicités pour ce qui s'est passé, ce sont Arthur, Jacques et Isabelle qui ont tout commencé."

David le Magicien s'associa à la demanda de la Directrice. Il raconta au Roi comment Arthur Rénovetoi avait tiré sur le dragon qui avait failli le dévorer, puis comment Arthur et ses deux amis prié David de leur enseigner le Tour des Trois Clés, le tour de magie par où tout avait commencé.

Un jour, donc, le Roi invita Arthur, Jacques et Isabelle à déjeuner avec lui.

Ils montèrent au dernier étage des Appartements du Roi, où un grand banquet avait été déployé en leur honneur.

"Bon, alors, dites-moi", dit le Roi, en mâchonnant un morceau de pain, "qu'est-ce que vous pensez personnellement de tout ce Zapp ! qui circule aujourd'ui ? Je veux dire... cela a produit un effet immense sur le château, mais qu'est-ce que cela vous a apporté, à vous personnellement ?"

"Cela m'a beaucoup apporté", dit Arthur Rénovetoi. "Vous savez, avant que tout cela commence, je m'ennuyais. Je n'aimais pas mon travail. Je voulais démissionner. Et maintenant je me sens responsable de ce que je fais. Je ne m'ennuie jamais parce que je cherche toujours un moyen d'être plus efficace. Mon travail change tout le temps, mais j'ai l'impression d'avoir mon mot à dire sur la façon dont s'effectue ce changement. Le Zapp !, c'est un truc génial."

"Ce que j'aime", dit Jacques, "c'est que nous avons amélioré non seulement notre propre vie, mais aussi celle de beaucoup d'autres gens. Nous ne nous débarrasserons peut-être jamais complètement des dragons, mais maintenant nous pouvons les contrôler, au lieu qu'ils nous contrôlent. Je suis fier de ce que nous avons été capables de faire."

"Ce qui me plait le plus", dit Isabelle, "c'est ça." Et elle retira de son porte-monnaie une lettre de son père. Avec la lettre il y avait un article tiré du Dragon Digest révélant que le Château de Malronne était de nouveau et de bien loin le meilleur château dans toute l'étendue du Monde Magique. La lettre disait que les parents d'Isabelle vendaient leur terrain près du Château Colossal et revenaient à Malronne.

Finalement, nous sommes à nouveau confiants sur l'efficacité de la protection au Château de Malronne, avait écrit son père, *et nous pensons que ce qui arriva jadis ne se reproduira pas.*

Après le déjeuner, alors qu'Arthur, Jacques et Isabelle étaient sur le point de retourner travailler, le Roi les fit descendre avec lui à la Salle du Trône. Là, il y avait David D. Ignatius, Magicien Zapp !

"Le Roi et moi avons préparé quelque chose spécialement pour vous", dit David. "Vous avez été les premiers à apprendre les tours de magie Zapp !, et vous avez pris des initiatives avant vos collègues, nous avons donc décidé que vous deviez être les premiers à recevoir une distinction spéciale."

Sur ce, David ouvrit son attaché-case, le présenta au Roi, et le Roi décora chacun des trois employés d'une grosse médaille en or attachée à un ruban aux couleurs de l'arc-en-ciel.

Sur la médaille, il était écrit : "Héros."

"Ces médailles seront dès à présent les plus hautes récompenses qu'accordera le Château de Malronne", dit le Roi. "Nous espérons que tout le monde dans le château en gagnera une par la suite."

"Je ne sais pas si nous les méritons", dit Jacques.

"Ouais, nous ne sommes pas des héros", dit Isabelle.

"Nous faisions juste notre travail", dit Arthur Rénovetoi.

Et David dit : "C'est ce que disent tous les héros. Voyez-vous, un vrai héros n'est pas seulement quelqu'un qui accomplit un acte extraordinaire une fois dans sa vie. Les vrais héros sont les gens qui travaillent ensemble à des métiers ordinaires, se battant jour après jour, souvent contre de grandes inégalités et une grande indifférence, pour rendre le monde autour d'eux de plus en plus agréable. C'est ce que vous avez accompli. Vous êtes de vrais héros."

Alors, avec tout le Zapp ! qui était en train de circuler dans l'air chargé du château, il y eut un énorme grondement de tonnerre et un éclair de lumière éblouissant... *Zapp !* Quand Arthur, Jacques et Isabelle regardèrent leurs médailles, ils s'aperçurent que l'inscription avait changé.

Il était maintenant écrit...
Hero Z !

Vous ne vivez probablement pas à Malronne, ou dans un quelconque pays magique. L'endroit où vous travaillez ne ressemble peut-être même pas à un château.

Au lieu de cela, vous exercez probablement un métier dans une organisation Normale, qu'elle soit privée ou publique, lucrative ou non.

Et vous devez probablement travailler avec des gens Normaux... ou qui prétendent l'être, au moins.

Même si vous êtes indépendant, que vous faites votre route en solo et que vous offrez vos services à des châteaux... heu... à des organisations, un peu partout, votre travail est le même que celui des autres.

Vous êtes un chasseur de dragons.

Nous sommes tous des chasseurs de dragons, chacun à notre manière. C'est comme ça que nous gagnons notre or.

Que vous soyez magicien, chevalier, fabricant-de-flèches, ou roi, votre travail est de combattre les dragons qui oppriment les clients du château.

Attention, les fléaux d'aujourd'hui ne ressemblent peut-être pas à des dragons, avec des écailles, une queue, des dents, un souffle brûlant, et tout ça... mais c'est ce qu'ils sont.

Il y a les dragons de la faim, les dragon de la soif. Les dragons de l'obscurité, les dragons de la maladie. Les dragons de l'ignorance, les dragons de l'inconnu. Les dragons retardataires, les dragons ennuyeux, les dragons qui font n'importe quoi. Vous avez un problème ? Vous pouvez parier qu'il y a un dragon là-dessous.

Les dragons existent vraiment. Ils sont tout ce qui peut empêcher les êtres humains d'accéder à une vie meilleure. Attention, les dragons nous passeront à la casserole si personne ne les combat.

Les gens le savent. Ils ne sont pas stupides. C'est pourquoi ils paient avec leur or durement gagné pour combattre les dragons qu'ils ne peuvent pas combattre tout seuls.

Et si votre château, votre entreprise, votre ville ou votre pays à vous ne fait pas le travail, un autre le fera. Il y en a toujours un, ailleurs, qui essaie de faire un meilleur travail.

Mais aucun héros, même un héros Normal, ne peut combattre seul les dragons. Ils sont trop nombreux. Ces monstres sont trop puissants.

Nous avons besoin de combattre les dragons ensemble.

Nous avons besoin d'apprendre la magie qui nous permettra de travailler ensemble, qui nous donnera le Zapp ! pour continuer à faire des progrès dans notre activité, et pour garder les dragons à distance.

De nos jours, nous avons tous besoin de devenir des Hero Z.

Tour des Trois Clés

Pour effectuer le Tour des Trois Clés,
comportez-vous avec les autres
selon ces principes :

1. Ne blessez jamais quelqu'un dans son amour-propre, mais n'hésitez pas à féliciter.

2. Ecoutez et répondez avec empathie.

3. Demandez de l'aide et encouragez les gens à s'impliquer.

N'hésitez pas à utiliser le Zapp ! des Trois Clés dans toutes vos relations avec les autres, surtout quand vous effectuerez les autres Tours de ce Livre.

Le Livre de Magie du Magicien Zapp !

Le Tour de l'ACTION

A utiliser pour résoudre les problèmes
et mettre en place des solutions pour effectuer
le tour de l'ACTION

1. Analysez la situation et définissez le problème.

2. Déterminez les causes

3. Tendez vers des solutions et développez des idées.

4. Appliquez ces idées.

5. Vérifiez qu'ON (le reste des employés) suit bien le plan proposé, dans la durée.

IMPORTANT : Faites attention d'*impliquer les autres* à chaque fois que vous effectuez une étape de ce Tour de Magie !

Le Livre de Magie du Magicien Zapp !

Le Tour de l'InterACTION

Basé sur le même principe magique que le Tour de l'AC-TION, le Tour de l'InterACTION peut être utilisé dans toutes sortes de discussions pratiques, qu'elles aient lieu entre deux personnes ou dans des réunions de groupe avec beaucoup de gens. Il fonctionnera dans n'importe quelle situation concrète où les participants ne doivent pas dévier par rapport au sujet, et doivent arriver à une décision avec les autres.

Pour effectuer le Tour :

1. Ouvrez la séance en rappelant ce qui doit être accompli et pourquoi c'est important.

2. Précisez les points de détail.

3. Développez des idées.

4. Mettez-vous d'accord sur des actions concrètes.

5. Terminez la séance par le compte-rendu des décisions et organisez le suivi nécessaire.

Le Livre de Magie du Magicien Zapp !

Le Tour Supérieur du Soutien

Tour n° 1 : le Tour de l'Enseignement.

Tour n° 2 : le Tour de la Correction par l'Appréciation

Tour n° 3 : le Tour de l'Encouragement

Le Livre de Magie du Magicien Zapp !

Le Tour de l'Enseignement

Partie 1

Ce tour doit être utilisé par les gens expérimentés
quand des gens inexpérimentés commencent
un nouveau travail avec de nouvelles difficultés

1. Posez des questions.

2. Ecoutez pour mieux comprendre.

3. Partagez vos connaissances et votre expérience.

Partie 2

Ce Tour doit être utilisé par ceux qui ont besoin
d'apprendre quand ils commencent un nouveau
travail ou quand ils sont confrontés à
des difficultés et des incertitudes

1. Exprimez vos besoins et vos problèmes.

2. Ecoutez.

3. Posez des questions.

Le Livre de Magie du Magicien Zapp !

Le Tour de la Correction par l'Appréciation

Pour aider les gens à continuer
dans la bonne direction

L'Appréciation Positive

• Dites de façon précise ce qui a été bien fait.

• Expliquez pourquoi.

L'Appréciation Constructive

• Dites ce qui aurait pu être mieux fait.

• Expliquez pourquoi.

• Suggérez un moyen.

Le Livre de Magie du Magicien Zapp !

Le Tour de l'Encouragement

Les gens ont besoin d'encouragement pour acquérir de l'énergie et continuer à progresser

Pour prodiguer cet encouragement : félicitez les gens quand ils ont bien fait quelque chose

- Soyez honnête.
- Soyez spécifique.
- Soyez opportun.
- En cas de réussite partielle, félicitez la personne pour le travail qu'elle a bien effectué.
- N'exagérez pas vos félicitations.
- Fêtez les réussites.

Préparation Magique pour inciter un Patron à dire oui quand vous lui soumettez une idée

Commencez par : 1 Bonne idée.

Ajoutez-y les réponses adéquates à ce qui suit :

• Quels sont les valeurs ou les objectifs organisationnels que mes idées supportent ?

• Quels sont les avantages et les inconvénients (le coût, par exemple) de mon idée ?

• Qu'est-ce qui motivera le Patron à dire "oui" ?

• Quelles seront probablement les objections du Patron ?

• Que puis-je répondre si le Patron formule ces objections ?

• Quelles sont les autres alternatives possibles si le Patron ne veut pas acheter mon idée "telle quelle" ?

Impression réalisée sur CAMERON par
BRODARD ET TAUPIN
La Flèche

pour le compte des Presses du Management
en décembre 1994

Imprimé en France
Dépôt légal : Décembre 1994
Nº d'impression : 6817 K-5
ISBN : 2-87845-194-5
50-3625-6